©   Verlag Zabert Sandmann GmbH
München
1. Auflage 2000
ISBN 3-932023-33-1

Konzeptionsidee   Arnold Zabert

Rezepte   Bea Schaffner

Foodfotografie   Walter Cimbal

Textredaktion   Kathrin Ullerich
Nicole Fischer

Layout/DTP   Michael Knoch

Umschlaggestaltung   Zero, Georg Feigl

Herstellung   Karin Mayer, Peter Karg-Cordes

Lithografie   inteca Media Service GmbH,
Rosenheim

Druck   Officine Grafiche DeAgostini, Novara

Asien

DIE KLEINE SCHULE

Für Anfänger und Einsteiger

ZABERT
SANDMANN

Inhaltsverzeichnis

Rezeptübersicht

Vorspeisen

Suppen

Salate

Nudeln und Reis

Vegetarisch

Fisch

Geflügel

Fleisch

Desserts

Asiatisch kochen – leicht gemacht

ASIEN – DIE KLEINE SCHULE ist das Kochbuch für alle, die die abwechslungsreichen Rezepte der fernöstlichen Küche einmal selber ausprobieren möchten. Denn Nasigoreng, Frühlingsrollen, Tandoori-Hähnchen und Sushi gelingen auf Anhieb, wenn man jeden Zubereitungsschritt bildlich nachvollziehen kann. Das Buch bietet 50 ausgewählte Gerichte, wobei jedes Rezept in 12 Schritt-für-Schritt-Fotos anschaulich erklärt wird. Alle wichtigen Handgriffe sind abgebildet, sodass das Nachkochen leicht gemacht ist. Beilagen oder Rezeptvariationen werden ebenfalls in Grundschritten erklärt. Vom Einkauf bis zur Aufbewahrung bleibt keine Frage unbeantwortet. ASIEN – DIE KLEINE SCHULE ist das Kochbuch für Anfänger und Einsteiger mit dem sicheren 10-Stufen-Konzept.

Rezeptfoto

Auftakt zu jedem Rezept ist die Abbildung des tischfertig zubereiteten Gerichts. Präsentiert wird es entweder als Tellergericht für eine Person oder für die gesamte Menge, wenn es sich beispielsweise um ein Schmorgericht handelt.

1. Einkauf

Jedes Rezept beginnt mit der Beschreibung der wichtigsten Lebensmittel. Diese Warenkunde erläutert die Besonderheiten der Produkte, beschreibt Gewürze, empfiehlt Saisonartikel und offeriert Alternativen zu den Zutaten. Sie liefert nützliche Hinweise beim Schreiben der Einkaufsliste und gibt gleichzeitig wichtige Informationen, wie lange man bestimmte Produkte aufbewahren kann.

2. Zutaten

Diese Rubrik enthält sämtliche Zutaten mit Mengenangaben, die für das Gericht benötigt werden. Die Zutaten sind grundsätzlich in der Reihenfolge der Vor- und Zubereitungsschritte aufgeführt.

3. Geräte

Zu jedem Rezept sind sämtliche Küchengeräte aufgeführt, die man für die Zubereitung benötigt. Falls diese Geräte nicht im Haushalt vorhanden sind, kann man auch improvisieren: Statt eine Knoblauchpresse zu verwenden, kann der Knoblauch auch mit dem Messer klein geschnitten werden. Ein Wok kann durch eine breite Pfanne ersetzt werden, eine Fleischgabel durch eine herkömmliche Gabel und ein Sparschäler durch ein kleines Küchenmesser.

4. Kochzeiten

Die Angaben gliedern sich in Vorbereitungs- und Zubereitungszeit. Back-, Garund Kühlzeiten sind ebenfalls aufgeführt. Alle Garzeiten sind Zirkawerte, die natürlich abweichen können, da die jeweilige Küchenausstattung variiert. Besonderes Augenmerk wurde darauf gerichtet, dass die Gerichte schonend gegart werden.

5. Nährwertangaben

Die Nährwerte enthalten Angaben über Kilokalorien (kcal), Kilojoule (kJ), Eiweiß (EW), Fett (F) und Kohlenhydrate (KH). Sie sind immer für eine Person berechnet und beziehen sich auf das ganze Gericht. Wer sich figurbewusst und gesund ernährt und viel Sport treibt, sieht auf einen Blick, wie viel Nährwerte er zu sich nimmt. Der Begriff »Kilokalorien« ist vor einigen Jahren durch den Begriff »Kilojoule« ersetzt worden, was sich aber im allgemeinen Sprachgebrauch noch nicht durchsetzen konnte. Deshalb sind immer beide Begriffe angegeben.

6. Vorbereitung

Als Arbeitsphase ist die Vorbereitung klar von der Zubereitung getrennt. Die Vorbereitung kann manchmal durchaus am Vortag erledigt werden, wenn ein größeres Essen für Gäste geplant ist. Man sollte allerdings darauf achten, dass Gemüse und Obst direkt vor der Zubereitung klein geschnitten werden, denn bei zu langer Lagerung gehen die Vitamine verloren. Grundvorbereitungsarten, wie etwa Paprika putzen, Reis kochen, Gemüse blanchieren oder Tomaten häuten, werden anschaulich mit Fotos auf den Seiten 26–31 erklärt, sodass man dort jederzeit nachschlagen kann. Außerdem findet man hier Anleitungen, wie man Verzierungen aus Gemüsesorten, beispielsweise Gurkenblumen, herstellt.

7. Zubereitung

Jeder wichtige Handgriff ist anhand von Schritt-für-Schritt-Fotos anschaulich dargestellt und wird zusätzlich in der Bildunterschrift erklärt. Herdtemperaturen und Garzeiten sind mit einprägsamen Symbolen angezeigt, sodass sich Fehlerquellen am Herd vermeiden lassen. Mit dieser Bildersprache gelingen die Rezepte auch Anfängern auf Anhieb.

8. Rezeptvariation oder Beilage

Die vierte Seite eines jeden Rezepts bringt weitere Zubereitungsgänge. Beilagen werden dabei wieder mit Fotos und Bildunterschriften dargestellt und die Rezeptvariationen in einzelnen Arbeitsschritten ausführlich erklärt.

9. Küchentipp · Bei Tisch

Die Ratschläge, wie man mit Kräutern und Gewürzen jedes Gericht verfeinern und geschmacklich abrunden kann, sind auch in der asiatischen Küche das Tüpfelchen auf dem i. Hier werden außerdem Vorschläge zum Garnieren gemacht und erklärt, welche Zutaten durch andere ersetzt werden können. Außerdem findet man Wissenswertes über ein Gericht, wie etwa seine regionale Herkunft oder seine kulinarische Tradition. Es werden Empfehlungen für Beilagen gegeben und Serviervorschläge gemacht.

10. Wenn etwas übrig bleibt

Jedes Rezept ist für vier Personen berechnet. Für Singles oder Paare kann die angegebene Zutatenmenge halbiert oder geviertelt werden. In manchen Fällen, in denen dies nicht möglich ist, wenn man beispielsweise ein ganzes Huhn verwendet, sind Varianten schon in der Zutatenliste angegeben. Wer für mehr als vier Personen kochen möchte, kann das, was übrig bleibt, gleich portionsweise einfrieren. Das Buch empfiehlt an dieser Stelle Haltbarkeitszeiten in Kühlschrank und Gefriergerät.

Wok, Dämpfkorb und Feuertopf: Kochgeräte und Garmethoden

Für die Zubereitung asiatischer Gerichte benötigt man keine ausgefallenen Kochgeräte – die herkömmlichen Töpfe und Pfannen erfüllen auch hier ihren Zweck. Wer allerdings gern und häufig asiatisch kocht, dem leisten einzelne typische Gerätschaften gute Dienste. Vor allem der Wok hat von China aus längst seinen Siegeszug durch Europa angetreten – für viele Hobbyköche ist er unentbehrlich geworden. Das Kochen mit Wok und Dämpfkorb ist schnell gelernt, wenn man einige Regeln beachtet.

Der Wok – das Allroundgenie

Ursprünglich aus China stammend, wo er schon vor mehreren Jahrtausenden für offene Feuerstellen erfunden wurde, hat sich der Wok in fast allen asiatischen Küchen durchgesetzt und findet auch bei uns immer mehr Liebhaber. In diesem relativ flachen, breiten Topf, einem Mittelding aus Topf und Pfanne, wird bis auf Reis nahezu alles gegart. Die traditionellen Woks sind aus Eisen oder Stahl gehämmert und haben einen abgerundeten Boden und schräge Wände. Am besten geeignet für moderne Herde sind Woks aus Aluguss, wie etwa der Multi-Wok von Berndes,

da in ihnen die Wärme gleichmäßig verteilt wird. Wegen der besseren Standfestigkeit sollte für Elektroherde ein Wok mit abgeflachtem Boden benutzt werden. Woks mit rundem Boden haben auch auf manchen Gasherden den nötigen Halt, zur besseren Standfestigkeit kann aber auch ein Metallring (der mitverkauft wird) erforderlich sein. Gasherde eignen sich für das Garen im Wok besser als Elektroherde: Die Hitze wird sofort abgegeben und ist leichter zu regulieren. Es gibt auch Woks mit spiritusbeheizten Rechauds, mit denen man nicht nur größere Portionen warm halten, sondern die Gerichte auch direkt am Tisch zubereiten kann.

Die meisten Woks haben einen Durchmesser von 32–40 cm, es gibt sie aber auch in kleineren Größen. Auch für den kleinen Haushalt empfiehlt sich eher die Anschaffung eines großen Woks: In ihm kann man Einzelportionen problemlos garen, weitaus einfacher und schneller als in einem kleinen Wok.

Besonders in der chinesischen Küche ist der Wok neben dem elektrischen Reiskocher das Kochgeschirr schlechthin. Kein Wunder, denn es gibt kaum eine Garmethode, für die dieses Universalgenie nicht geeignet wäre. In ihm wird gebraten, gekocht, gedünstet, geschmort, gedämpft und frittiert.

Wichtiges zum Pfannenrühren

Besonders typisch für das Garen im Wok ist das Pfannenrühren. Als wichtigste Regel dabei gilt: Alle Zutaten sollten bereits geputzt und klein geschnitten sein und sämtliche Saucen und Gewürze bereitstehen, bevor man mit dem Kochen beginnt. Das Garen im Wok geschieht derart schnell, dass keine Zeit mehr fürs Gemüseschneiden bleibt. Zunächst wird der trockene Wok stark erhitzt und erst dann eine kleine Menge Fett hineingegeben. Man beginnt mit den Zutaten, die die längste Garzeit haben, wie etwa Fleisch oder hartfaseriges

Gemüse (Brokkoli, Möhren), während Pilze, Zwiebeln und Sprossen erst später hinzugefügt werden. Die Zutaten dürfen nur kurz mit dem heißen Boden in Berührung kommen und müssen ständig gewendet werden, da sie sonst anbrennen würden. Außerdem sollte man darauf achten, dass die Zutaten nicht übereinander auf dem Wokboden liegen – sie können dann nicht richtig anbraten und ziehen Wasser. Was gar ist, wird an den Rand geschoben und hier warm gehalten, bis das komplette Gericht fertig ist.

Dämpfen – gesund und aromaschonend

Besonders beliebt in China und Japan ist die Garmethode des Dämpfens. Dabei garen die Zutaten (wie Fische und Meerestiere) langsam in heißem Wasserdampf und behalten so Nährstoffe und Aroma. Gedämpft wird in einem Siebeinsatz oder in speziellen Bambusdämpfkörben, die in den mit wenig Wasser gefüllten Wok gestellt werden – dabei darf das Gargut die Flüssigkeit nicht berühren. Bambuskörbe gibt es in den unterschiedlichsten Größen, sodass man sie übereinander stapeln und mehrere Speisen gleichzeitig garen kann. Man muss sich jedoch nicht unbedingt einen Bambuskorb anschaffen. Genauso gut kann man auf dem Gitter, das bei den meisten Woks als Zubehör mitgeliefert wird, dämpfen. Oder man legt die Zutaten auf einen Teller und stellt diesen auf eine umgestülpte Schüssel oder Tasse in den Wok. Dann füllt man etwas Wasser in den Wok, kocht es auf und lässt die Zutaten mit geschlossenem Deckel bei kleiner Hitze garen.

Frittieren im Wok

Auch zum Frittieren ist der Wok ideal, und zwar nicht nur weil er besonders stark erhitzbar ist. Sein großer Vorteil gegenüber herkömmlichen Pfannen liegt vor allem in der sich nach unten verjüngenden Form. So benötigt man relativ wenig Öl (im Allgemeinen reichen 3–4 Esslöffel) und die Zutaten schwimmen nur selten ganz im Fett. Auch hier werden die einzelnen Zutaten nach und nach angebraten: Fertig Frittiertes wird an den Wokrand geschoben, während die nächsten Stücke gebraten werden. Erst wenn alles angebraten ist, wird es vermengt und nochmals frittiert, dabei aber ständig gerührt und gewendet. Ausgebacken werden die Zutaten pur oder umhüllt von Teig bzw. Panade. So braucht beispielsweise Gemüse, damit es beim Frittieren nicht zerfällt, zur »Stärkung« einen Teigmantel, etwa einen japanischen Tempurateig (siehe Seite 116). Zum Herausheben aus dem heißen Fett ist ein Sieblöffel hilfreich. Dieser Löffel besteht aus einem halbrunden Drahtgeflecht mit einem langen Holz- oder Bambusgriff, der die Hitze schlecht leitet und so dafür sorgt, dass man sich nicht verbrennt. Vor dem Servieren lässt man die frittierten Zutaten auf dem halbrunden Metallgitter des Woks abtropfen oder legt sie kurz auf Küchenpapier.

Wok-Zubehör

Zum Dämpfen und Schmoren ist ein Deckel unentbehrlich, der bei fast allen Woks bereits mitgeliefert wird. Anderes nützliches Zubehör, das nur selten beiliegt, kann man einzeln im Asienladen oder im Haushaltswarengeschäft

Klassischerweise werden auch beim Feuertopf Ess-Stäbchen benutzt. Den Gebrauch dieses Holzbestecks beherrschen in China die meisten Kinder bereits im Alter von zwei Jahren. Tatsächlich ist das Essen mit Stäbchen – auch für Europäer – mit etwas Übung und Geduld leichter zu erlernen, als man denkt: Das untere Stäbchen liegt locker in der Handfläche und wird mit dem Mittel- und Ringfinger fixiert. Dann fassen Daumen und Zeigefinger das obere Stäbchen,

kaufen: so etwa die typische Wokschaufel zum Pfannenrühren, eine Schöpfkelle zum Herausheben der fertigen Speisen, einen Sieblöffel oder ein Abtropfgitter, das an den Rand des Woks gehängt wird. Vor allem, wenn man einen originalen Eisenwok besitzt, ist ein Bambusbesen unentbehrlich. Eisenwoks sollten nie mit Wasser ausgespült, sondern grundsätzlich mit dem Bambusbesen gereinigt und dann dünn mit Öl ausgestrichen werden, damit sie nicht rosten.

Der Feuertopf

Weit verbreitet in China ist der dem europäischen Fonduetopf verwandte Feuertopf, der eine Hinterlassenschaft der Mongolen ist und deshalb auch Mongolischer Feuertopf genannt wird. Beheizt wird

der Feuertopf mit Kohlen, die sich in einem Rechaud befinden; es gibt inzwischen aber auch elektrische oder gasbetriebene Rechauds. Besonders in Nordchina liebt man es, in den Wintermonaten in geselliger Runde beim »asiatischen Fondue« zusammenzusitzen: Auf den Tisch kommt der Topf dann gefüllt mit heißer Brühe, in der die verschiedensten Zutaten (Lamm-, Rind- oder Schweinefleisch, Gemüse oder Glasnudeln) von jedem Gast selbst in kleinen Drahtkörben gegart werden. Die Zutaten werden dann in Würzsaucen gedippt und verzehrt. Es ist Sitte, die herzhafte Brühe mitsamt den restlichen Fleisch- und Gemüsestückchen zum Abschluss des Mahls als Suppe zu servieren.

das frei beweglich bleiben muss. Beide Stäbchen werden nun vorne zusammengeführt: Das obere Stäbchen greift die Häppchen, das untere hält dagegen. Stäbchen werden in China nicht nur zum Essen verwendet. Größere Holzstäbchen setzt man – ähnlich wie unsere Kochlöffel – in der Küche zum Rühren ein.

Von Bambussprossen bis Zitronengras: die typischen Zutaten

Da die fernöstliche Küche bei uns immer mehr Liebhaber findet, sind viele Kräuter, Gewürze, Gemüsesorten und andere Zutaten, die man für asiatische Gerichte benötigt, oftmals in gut sortierten Supermärkten erhältlich. Exotisches und Ausgefallenes bekommt man in speziellen Asienläden.

Bambussprossen sind ein vor allem in Ostasien weit verbreitetes Gemüse. Die jungen Schösslinge des tropischen Bambusgrases werden ähnlich wie unser Spargel gestochen, wenn sie etwa 30 cm lang sind. In China werden sie nach ihrer Erntezeit in Sommer- und Wintersprossen unterteilt, wobei Letztere als die Schmackhafteren gelten. Bambussprossen müssen vor dem Verzehr grundsätzlich gekocht werden, um ihnen Gift- und Bitterstoffe zu entziehen. Bei uns sind Bambussprossen fast nur als Konservenware (entweder in Scheiben oder breite Streifen geschnitten) im Handel.

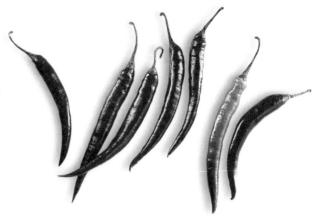

Chilischoten, die feurig scharfen Verwandten des Gemüsepaprikas, zählen zu den typischen Gewürzen der asiatischen Küche. Verantwortlich für die Schärfe der Früchte ist der Stoff Capsaicin, der besonders in den Samen und entlang der Innenrippen in hoher Konzentration auftritt. Meist sind kleine Chilischoten schärfer als große, doch trifft diese Faustregel nicht immer zu. Als schärfste Sorte gelten die nur 1 bis 3 cm langen Vogelaugenchilies, die vor allem in Thailand, Malaysia und Indonesien häufig verwendet werden. Die fingerlangen grünen (unreif) und roten (reif) Schoten sind in der Regel nicht allzu scharf. Wer scharfes Essen nicht gewohnt ist, kann die Wirkung der Chilies mildern, indem er die Schoten zwar entkernt, aber unzerkleinert mitgart und vor dem Servieren wieder entfernt.

Frisch geriebener **Ingwer** verleiht fast allen fernöstlichen Fleisch-, Fisch- oder Gemüsegerichten ihren typischen Geschmack. Je nach verwendeter Menge würzt er von pikant-fruchtig bis brennend scharf. Man kann Ingwer zwar auch als Pulver kaufen, das beste Aroma geben aber die frischen Knollen ab. In Essigmarinade eingelegte Ingwerscheiben (Shoga) sind in Japan die traditionellen Begleiter von Sushi. Kandiert wird Ingwer gern für Getränke oder Süßspeisen verwendet.

Zur Familie der Ingwergewächse zählt auch der **Galgant**, der ursprünglich aus Südostasien stammt. Man unterscheidet zwei Sorten: Der kleine oder echte Galgant ist würziger und schärfer als der große. Beide schmecken ähnlich wie Ingwer, allerdings weniger intensiv. Das ausgeprägte Aroma der Wurzel kommt nur frisch gerieben zur Geltung, Galgantpulver ist kein vollwertiger Ersatz.

Kokosnüsse werden in Malaysia, Thailand und Indonesien auf vielfältige Weise in der Küche genutzt. So wird ihr Fruchtfleisch fein gerieben zum Verfeinern von Speisen verwendet oder mit Wasser zu Kokosmilch verarbeitet. Kokosmilch verleiht Currygerichten und Saucen ein feines Aroma und eine sämige Konsistenz und mildert oftmals die Schärfe anderer Zutaten. Kokosmilch wird bei uns in Dosen angeboten. Man sollte auf den Hinweis achten, dass sie ungesüßt ist. Die gesüßte Milch eignet sich lediglich für die Zubereitung von Desserts und Drinks.

Fest zur Küche Indiens, Vietnams und Japans gehört der **Koriander**, von dem man sowohl die frischen Blätter als auch die getrockneten Früchte verwendet. Korianderkörner sind etwas kleiner als Pfefferkörner und haben einen würzigen, zugleich blumigsüßen Geschmack, der ein wenig an Orangenschalen erinnert. Das zarte Koriandergrün, auch Cilantro oder Chinesische Petersilie genannt, wird in der asiatischen Küche verwendet wie bei uns Petersilie. Petersilie und Koriander ähneln sich zwar im

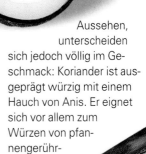

Aussehen, unterscheiden sich jedoch völlig im Geschmack: Koriander ist ausgeprägt würzig mit einem Hauch von Anis. Er eignet sich vor allem zum Würzen von pfannengerühr-

17

tem Gemüse und Fisch oder Fleisch aus dem Wok. Die feinen Wurzeln, gerieben oder fein gehackt, schmecken noch intensiver als die Blätter.

Kurkuma, treffend auch Gelbwurz genannt, wird seit über 2000 Jahren in Indien und im Mittleren Osten angebaut. Die Verwandte des Ingwers verwendet man von jeher zum Färben von Stoffen (etwa von indischen Mönchsgewändern) und von Speisen; hier ist Kurkuma eine preiswerte Alternative zum kostbaren Safran. Als Gewürz spielt die gemahlene Kurkumawurzel vor allem in der indischen und indonesischen Küche eine große Rolle, wo sie ein wichtiger Bestandteil des Currypulvers ist. Kurkuma würzt fast alle indischen Speisen und gibt den Gerichten eine leicht bittere, pikante Note.

In Asien kennt man eine Vielzahl von **Nudeln**, die ähnlich wie bei uns aus Weizen-, Buchweizen- oder Vollkornmehl hergestellt werden. Fernöstliche Besonderheiten sind dagegen **Reisnudeln** (aus dünnem Reismehlteig) und die transparenten **Glasnudeln**, die man aus Mungobohnenstärke herstellt. Reis- oder Weizenmehlnudeln werden in der Regel separat gereicht oder im Wok unter Fleisch- und Gemüsegerichte gerührt. Getrocknete Glasnudeln verwendet man hingegen vorwiegend als Suppeneinlage. Aus einer Art Nudelteig (Weizenmehl und Eier) bestehen auch **Wan-Tan-Blätter** und **Frühlingsrollenblätter**, die man bei uns tiefgefroren kaufen kann. Die hauchdünnen **Reispapierblätter**, in die man ebenfalls pikante Füllungen einwickelt, werden ähnlich wie Reisnudeln aus einem Teig aus Reismehl, Wasser und Salz hergestellt. Der Teig wird gedämpft und dann auf Bambusgittern getrocknet. Die Teigblätter müssen vor Gebrauch angefeuchtet werden.

Seit fast 10 000 Jahren wird in Asien **Reis** angebaut, und bei der großen Bedeutung, die Reis hier als Grundnahrungsmittel hat, verwundert es nicht, dass im Laufe der Zeit unzählige Sorten gezüchtet und angebaut wurden. Man unterscheidet die verschiedenen Sorten nicht nur nach ihrer Korngröße (Lang-, Mittel- und Kurzkornreis), sondern auch nach ihrem Stärkegehalt und Kochverhalten (wie z. B. Klebreis). Eine besonders edle Langkornsorte mit typischem Duft und feinem Geschmack ist indischer **Basmatireis** (Duftreis), der sich auch hervorragend zum Braten eignet. **Klebreis** wird süß und pikant zubereitet und in Thailand und China gern als Beilage zu Gerichten mit viel Sauce gereicht. Dieser besonders stärkehaltige Mittelkornreis ist ideal für das Essen mit Stäbchen. Die Japaner bevorzugen einen klebrigen Rundkornreis, der ebenfalls das Essen mit Stäbchen erleichtert und sich außerdem ideal für die Sushi-Herstellung eignet.

Fast überall in Asien werden süß-saure Gerichte mit destilliertem **Reisessig** gewürzt. Er wird – wie der Name bereits sagt – aus Reis hergestellt und ist mit einer Säure von lediglich 3 % wesentlich milder als unser Weinessig. Am besten lässt er sich durch

stark verdünnten Obstessig oder italienischen Aceto Balsamico ersetzen.

Als Universalwürze hat die **Sojasauce** in der asiatischen Küche eine lange Tradition. Bereits vor etwa 1500 Jahren kannten die Chinesen eine Sojasauce, die der heutigen sehr ähnlich ist. Die Sauce wird aus Weizen und gekochten Sojabohnen hergestellt, die man mit einer Schimmelpilzkultur impft. Nachdem der Gärungsprozess eingesetzt hat, fügt man Salz und Wasser hinzu und lässt die Mischung etwa zwei Jahre in Holzfässern reifen. Sojasauce wird in der asiatischen Küche heute fast ebenso oft verwendet wie bei uns Salz – es

gibt sie in den unterschiedlichsten Sorten mit mehr oder weniger stark ausgeprägtem Aroma. Besonders verbreitet sind die dunklen, salzigen Sojasaucen aus China und Japan. Helle, mildere Sojasaucen werden gern zum Würzen von Fisch- und Gemüsegerichten verwendet, da sie die Speisen nicht verfärben. Süße Sojasauce ist dunkel – ihr wird beim Reifen Melasse zugesetzt. In der indonesischen Küche unterscheidet man ebenfalls zwischen einer hellen (Kecap Asin) und einer dickflüssigen, fast schwarzen Sojasauce (Kecap Manis). Letztere verdankt ihr Aroma unter anderem Palmzucker, Knoblauch und Sternanis.

Die klare, salzige und sehr intensiv schmeckende **Fischsauce** aus fermentiertem Fisch und Garnelen ist vor allem in der südostasiatischen Küche sehr beliebt. Sie wird für Marinaden, Dressings und Dips verwendet. Am bekanntesten ist die **Austernsauce** mit einem angenehmen, nicht zu penetranten Fischgeschmack, die daher auch gut zu Gemüsegerichten passt. Sie wird aus Austernextrakt, Salz und Wasser zubereitet und mit Maisstärke und Karamell versetzt. Zum Würzen von Fleisch- und Geflügelgerichten bevorzugt man in China die dunkle **Hoisinsauce**, die aus Sojabohnen, Zucker, Knoblauch, Chili und anderen Gewürzen hergestellt wird.

Schnittknoblauch (oder Chinesischer Schnittlauch) erfreut sich in der asiatischen Küche besonderer Beliebtheit, da er die Aromen von Schnittlauch und Knoblauch vereint. Die flachen, porreeähnlichen Halme werden gern für Wok-

gerichte und Eierspeisen oder als Beilage zu Fischgerichten verwendet. Ein fast honigartiges Aroma haben die Stiele mit den noch geschlossenen Blütenknospen, die in Asien als Delikatesse gelten.

Shiitake-Pilze, auch Tongu-Pilze genannt, werden vor allem in der japanischen und chinesischen Küche wegen ihres intensiven, leicht rauchigen Aromas geschätzt. Die Pilze, die eng mit den Chinesischen Morcheln verwandt sind, wachsen an der Rinde einer Eichbaumart und werden sowohl frisch als auch getrocknet angeboten. Mittlerweile werden Shiitake-Pilze auch in unseren Breiten auf Substraten das ganze Jahr über gezogen. Getrocknet und in warmem Wasser eingeweicht, kommt ihr Geschmack jedoch am besten zur Geltung.

Die großen, zimtfarbenen **Tamarindenschoten** (die Früchte des wild wachsenden Tamarindenbaums) sind in Indien, Thailand und Indonesien eine weit verbreitete Würzzutat. Das Mark der Schoten wird zum Abschmecken vieler Gerichte verwendet, es verleiht

den Speisen einen leicht säuerlichen Geschmack. Die Inder stellen aus Tamarindenmus auch pikante Saucen und Chutneys her.

Zitronengras ist eine schilfartige Pflanze, die ursprünglich wild in den tropischen Regionen Ceylons und Südindiens wuchs und heute auf Plantagen angebaut wird. Die dicken Halme enthalten ätherische Öle mit zitronenartigem Duft und Geschmack. In der Küche sollte man nur den unteren, zarteren Teil über der Wurzel verwenden. Zum Aromatisieren von Speisen werden die Stangen in Stücke geschnitten, mit-

Tofu, seit Jahrtausenden ein Grundnahrungsmittel in Asien, wird aus gestockter Sojabohnenmilch hergestellt. Er sieht aus wie schnittfester Quark, enthält reichlich Eiweiß und wertvolle Fettsäuren, jedoch kein Cholesterin. Tofu hat einen milden, kaum ausgeprägten Geschmack und verlangt daher nach reichlich Würze. Man kann ihn bei uns frisch oder vakuumverpackt kaufen. In China ist frittierter, gewürzter oder fermentierter Tofu ein beliebter Imbiss. Im

Vergleich zu asiatischem Tofu ist der hiesige etwas fester und säuerlicher.

Zitronenblätter nennt man die hocharomatischen Blätter des indischen Kaffir-Zitronenbaums, die frisch in feinste Streifen geschnitten und über die Speisen gestreut werden. In Currys werden sie gern auch als Ganzes mitgekocht. Die runzeligen Früchte des Baums, die **Kaffir-Zitronen**, haben zwar kaum Saft, dafür aber eine dicke, aromatische Schale, die in feine Zesten geschnitten ebenfalls zum Würzen verwendet wird.

gegart und vor dem Servieren wieder entfernt. Wenn man Zitronengras in Dressings, Suppen, Currys oder Saucen mitessen will, muss man es sehr fein zerkleinern, sonst ist es zu faserig und zu hart. Getrocknetes Zitronengras hat nur recht wenig Geschmack. Ersatzweise sollte man dann lieber abgeriebene Zitronenschale verwenden.

Das ABC der Küchensprache

Kochen ist eine Kunst, die eine eigene Sprache besitzt. Vieles ist nur für Profis interessant, doch die einschlägigen Grundbegriffe sollte auch der Laie kennen – sonst versteht er die Rezepte nicht. Dieses Glossar bietet die wichtigsten Begriffe auf einen Blick.

Abdämpfen

Restwasser von gegartem und abgegossenem Gemüse, Kartoffeln, Nudeln oder Reis auf der noch heißen Herdplatte offen im Topf unter Schwenken verdampfen lassen.

Ablöschen (Deglacieren)

Zugabe von Flüssigkeit (z. B. Brühe oder Wein) nach dem Anbraten von Fleisch oder dem Andünsten von Gemüse. Beim Fleisch wird so der Bratensatz unter Rühren gelöst, um daraus eine Sauce zu machen.

Abschrecken

Einen Garprozess abrupt beenden, indem man das Gargut, wie etwa Gemüse, abgießt und sofort in Eiswasser taucht, um die Farbe zu erhalten.

Anbraten

Bei starker Hitze in sehr heißem Fett Fleisch schnell anbräunen, damit sich die Poren schließen und das Fleisch saftig bleibt.

Andünsten

Siehe Dünsten.

Anschwitzen

Mehl in zerlassenes Fett einrühren. Weiß anschwitzen oder braun anrösten. Mehl und Fett müssen sich miteinander verbinden – das Mehl schwitzt im Fett. Dann unter ständigem Rühren nach und nach Flüssigkeit (z. B. Brühe) aufgießen. Dabei dürfen sich keine Klümpchen bilden.

Auflaufform

Hitzebeständige Form aus Glas, Steingut oder Keramik. Für Gerichte, die im Backofen gegart werden.

Ausbacken/ Frittieren

Fleisch, Fisch, Gemüse und Obst werden – von einem Teigmantel umhüllt oder paniert – in hoch erhitzbarem Fett schwimmend gebräunt. Frittiert wird bei 180 °C in der Fritteuse oder in einem schweren Topf mit Siebeinsatz.

Ausquellen

Garen bei geringer Hitze in genau dosierter Flüssigkeit (Wasser, Brühe), wobei die Flüssigkeit vom Gargut vollständig aufgenommen wird, z. B. Reis.

Backen

Garen von Gebäck, Auflauf und Braten im Backofen durch Ober- und Unterhitze oder Heißluft.

Binden

Flüssigkeiten durch Zugabe von Speisestärke oder Mehl beim Kochen sämig andicken.

Blanchieren

Kurzzeitiges Garen in reichlich kochendem Wasser mit oder ohne Salz. Nach dem Blanchieren wird das Gargut im kalten Wasser abgeschreckt, um den Garprozess zu stoppen. Gemüse wird häufig vor dem Einfrieren blanchiert, damit die Farbe erhalten bleibt. Auch Tomaten werden blanchiert, wenn man die Haut abziehen will.

Braten

Garen und Bräunen im heißen Fett im offenen Topf.

Chilisauce

Scharfe Würzsauce aus Chilischoten, Essig und Zucker, die zum Abschmecken der Gerichte oder auch als Tischsauce verwendet wird.

Chutney

Früchte und Gemüse werden mit Kräutern und Gewürzen eingekocht und hauptsächlich in der ostindischen Küche kalt als Beilage serviert.

Curry

Sammelbegriff für indische Fleisch-, Fisch-, Gemüse- und Eiergerichte, die in Sauce gegart werden.

Dämpfen

Garen im Wasserdampf in einem geschlossenen Topf mit besonderem Sieb- oder Gittereinsatz. Besonders geeignet für zartes Gemüse, fettarmen Fisch und Kartoffeln (siehe Seite 14).

Dressing

Kalte Würzsauce, die erst kurz vor dem Servieren zum Salat gegeben wird.

Dünsten

Garen in wenig Flüssigkeit und Fett oder im eigenen Saft bei geringer Temperatur im geschlossenen Topf.

Einkochen/ Reduzieren

Suppen, Brühen und Saucen im offenen Topf so lange kochen, bis eine sämige Konsistenz entsteht, die den Geschmack intensiviert.

Essenz

Stark eingekochte Brühe, konzentrierter Fond aus Fleisch oder Fisch, Geflügel, Wild und Pilzen.

Feuertopf

Traditionelles Kochgerät in der chinesischen Küche, unserem Fonduetopf vergleichbar (siehe Seite 15).

Filetieren

Fleisch- und Fischfilets aus Knochen und Gräten lösen und in Scheiben schneiden. Auch: Segmente von Zitrusfrüchten aus den Trennhäuten lösen.

Fond

Konzentrat mit sämtlichen Geschmacksstoffen, das beim Kochen, Dünsten und Braten entsteht. Basis einer guten Sauce.

Frittieren

Siehe Ausbacken.

Garziehen/ Pochieren

Langsames Garen in Flüssigkeit, die nur simmern, nicht sprudelnd kochen darf. Empfindliches Kochgut (Eier, Fisch) wird dadurch nicht zerstört.

Glasig werden lassen

Andünsten von Knoblauch und Zwiebeln in mäßig heißem Fett, ohne dass sie braun werden.

Grillen

Garen mit oder ohne Fettzugabe durch Strahlungs- oder Kontakthitze.

Karamellisieren

Bräunen und Schmelzen von Zucker, wie Haushaltszucker oder Puderzucker, durch Erhitzen.

Kochen

Garen in reichlich kochender Flüssigkeit im offenen oder geschlossenen Topf.

Legieren

Binden und Sämigmachen von Suppen und Saucen durch Zugabe von Eigelb oder Sahne.

Marinieren

Fisch, Fleisch und Geflügel in Würzflüssigkeiten (Marinaden) einlegen, um sie zu aromatisieren und haltbarer zu machen.

Panieren

Verschiedenste Lebensmittel werden mit Mehl, Eigelb und Semmelbröseln, gemahlenen Mandeln, Kokosraspeln oder anderen Zutaten überzogen und im heißen Fett ausgebacken. Die Panade wird knusprig gebraten, das Bratgut bleibt saftig.

Passieren

Weich gekochte Lebensmittel oder Brühen und Saucen durch ein feines Sieb streichen, sodass Haut und Kerne zurückbleiben. Cremige Suppen und Saucen werden so noch feiner.

Pfannenrühren

Gartechnik in der chinesischen Küche. In feine Streifen oder Würfel geschnittene Zutaten werden im Wok bei starker Hitze in Öl portionsweise schnell angebraten bzw. gerührt. Dadurch schließen sich die Poren der Zutaten rasch. Aroma, Farbe und Saft bleiben erhalten, Gemüse behält Biss (siehe Seite 13).

Pfannenwender

Ein Heber mit stumpf gerundeter, breiter Klinge aus Holz oder Metall zum Wenden von Steaks, Fisch oder Omeletts.

Pochieren

Siehe Garziehen.

Pürieren

Rohe oder gekochte Lebensmittel mit dem Pürierstab oder in der Küchenmaschine fein zerkleinern.

Pürierstab

Sonderzubehör für elektrisches Handrührgerät. Ersatz: Mixer (Einzelstandgerät oder als Zubehör für die Küchenmaschine).

Reduzieren

Siehe Einkochen.

Reibe

Am gebräuchlichsten ist die Allzweckreibe, ein vierkantiges Küchengerät aus Metall zum Aufstellen. Mit feiner und grober Raspel, Reibe und Hobel, die auch einzeln erhältlich sind.

Reiswein

In der japanischen und chinesischen Küche wird Reiswein (hergestellt aus fermentiertem Reis) als Würze verwendet.

Salatschleuder

Große Kunststoffschüssel mit einsetzbarem Sieb und einem Deckel mit Drehknopf oder Kurbel. Der Salat wird durch die Drehbewegung im Sieb zentrifugiert, sodass sich das Wasser in der Schüssel absetzt.

Sambal

Küchenfertige Würzpaste, die vor allem indonesischen Gerichten eine pikante Note gibt. Etwa als Samal Oelek (scharf) oder Sambal Manis (süßlich) im Handel erhältlich.

Schmoren

Anbraten und Bräunen von Fleisch und Gemüse in wenig Fett im offenen Topf. Weitergaren nach Zugabe von Flüssigkeit im geschlossenen Topf.

Schneebesen

Küchengerät zum gleichmäßigen Verrühren von Flüssigkeiten sowie Steifschlagen von Sahne und Eiweiß mit der Hand. Aus Metall mit Drahtschlaufen.

Schwenken

Kurzes Erhitzen gegarter Lebensmittel (Gemüse) im zerlassenen Fett.

Seihen

Durch ein Sieb gießen.

Sieb/Durchschlag

Küchengerät in unter-
schiedlicher Form und
Größe mit grobem oder
feinem Netz. Aus nicht
rostendem Material zum
Abtropfen und Passieren.

Sojasauce

Universalwürze in der asiatischen Küche, die häufig
als Salzersatz verwendet
wird. Die verschiedenen
Sorten unterscheiden sich
in Farbe, Konsistenz und
Geschmacksausprägung
(siehe Seite 19).

Sparschäler

Spezialmesser mit schräg
gestellter Klinge für gleichmäßiges Schälen von Kar-
toffeln, Möhren, Spargel.

Stäbchen

Man unterscheidet zwi-
schen sehr langen Holz-
stäbchen, die zum Kochen
und Rühren verwendet
werden, und kürzeren Ess-
Stäbchen aus den unter-
schiedlichsten Materialien.

Stabmixer

Siehe Pürierstab. Als
Einzelgerät oder Zusatz-
gerät für den elektrischen
Handrührer. Zum Mixen
und Pürieren.

Stocken lassen

Langsames Garen und
Festwerden von flüssiger
Eiermasse.

Sud

Kochflüssigkeit, die durch
verschiedene Gewürze
und andere Zutaten aroma-
tisiert wird. Lebensmittel,
z. B. Fische, werden darin
pochiert und erhalten
dadurch ein entsprechen-
des Aroma.

Teriyaki

Zubereitungsart in der japanischen Küche, wobei
Fleisch- oder Fischstreifen
vor dem Grillen in einer
süßlichen Sauce aus
Reiswein, Sojasauce und
Zucker mariniert werden.

Tranchieren

Aufteilen von Braten und
Fisch in Scheiben (Tran-
chen). Das Tranchieren
sollte auf einem Brett mit
Saftrinne erfolgen. Dazu
werden eine Fleischgabel
und ein Messer mit langer,
scharfer Klinge, die sich
leicht durch das Fleisch
ziehen lässt, verwendet.

Wasabi

Grüner japanischer Meer-
rettich, der in Pulverform in
etwas Wasser angerührt
werden muss oder aus der
Tube sofort verwendet
werden kann.

Wasserbad
(Bain-marie)

In einen Topf mit wenig
siedendem Wasser wird
ein zweiter Topf oder eine
spezielle Metallschüssel
(siehe Schlagkessel)
gehängt, die nur durch
den Dampf erhitzt wird.
Für Saucen und Cremes,
die als Zutaten Butter, Eier
oder Sahne enthalten, und
alle Gerichte, die bei der
Zubereitung auf der Herd-
platte gerinnen oder leicht
anbrennen können.

Wok

Pfanne mit hoch gezoge-
nem Rand und abgerun-
detem Boden aus unter-
schiedlichem Material;
ermöglicht das Anbraten
und Warmhalten in einem
Topf (siehe Seite 12).

Zerlassen

Auch Schmelzen. Festes
oder weiches Fett durch
leichtes Erhitzen flüssig
machen.

Zestenreißer

Spezialmesser, mit dem
man die Schale von unbe-
handelten Zitrusfrüchten
hauchdünn in feinen
Streifen abschälen kann.
Diese Zesten werden
zum Dekorieren oder Ver-
feinern des Geschmacks
z. B. von Cremes und Eis
verwendet.

Wissenswertes über das Vorbereiten und die Grundzubereitungsarten

In einer guten Küche wird selbstverständlich mit einwandfreien und frischen Produkten gearbeitet. Für fast alle Gemüsesorten gelten folgende Vorbereitungsschritte: Putzen, Waschen, Schälen und Kleinschneiden. Unter **Putzen** versteht man das Entfernen von anhaftenden Erdresten, Wurzeln und äußeren Blättern. Das **Waschen** von Gemüse ist wichtig, um Schadstoffe zu entfernen. Gemüse und Obst am besten unter fließendem Wasser gründlich waschen und erst dann zerkleinern. **Schälen** ist bei allen Wurzel- und Knollengemüsen und einigen Fruchtgemüsesorten notwendig, aber immer erst kurz vor dem Garen schälen, da durch längere Sauerstoffeinwirkung unnötigerweise Vitamine verloren gehen. Je jünger und zarter das Gemüse ist, umso dünner soll es geschält werden. Bei Gemüse und Obst, das geschält werden muss, nicht zu viel wegschneiden, denn häufig sitzen unter der Schale wertvolle Vitamine. Viele Produkte werden vor der Verwendung **klein geschnitten**, um ein rasches und gleichmäßiges Garen zu erreichen – das gilt vor allem für unterschiedliche Gemüsesorten. Nach dem Zerkleinern sollten Gemüse und Obst möglichst rasch weiterverarbeitet werden, damit die Vitamine so gut wie möglich erhalten bleiben. Asiatische Gerichte werden gern mit kunstvollen Gemüseverzierungen serviert. Den Gemüseschnitzern kann man als Laie zwar nicht nacheifern, doch es gibt einige Tricks, wie man mit einfachen Mitteln raffinierte Dekorationen zaubern kann.

Knoblauch schälen und zerkleinern

1. Knoblauchzehen aus der Knolle lösen. Mit einem spitzen Messer die Schale abziehen, dabei Spitze und Wurzelansatz abschneiden.

2. Die Knoblauchzehe auf ein Kunststoffbrett legen und mit einem breiten Messer zerdrücken oder fein in Scheiben schneiden.

3. Oder die Knoblauchzehe halbieren, den grünen Kern entfernen, in eine Knoblauchpresse geben und durchpressen.

Zwiebeln schälen und zerkleinern

1. Wurzelansatz von den Zwiebeln mit einem kleinen Messer abschneiden und die Schale abziehen. Zwiebel längs halbieren.

2. Mit der Schnittfläche auf ein Brett legen und von der Spitze bis zum Wurzelende einschneiden, nicht ganz durchschneiden.

3. Einige Male waagrecht einschneiden. Zwiebel gut festhalten und quer durchschneiden, sodass feine Würfel entstehen.

Kräuter hacken

1. Die Kräuter ganz kurz unter fließend kaltem Wasser abbrausen, anschließend gut trockenschütteln oder auf einem Sieb abtropfen lassen.

2. Kräuter mit dem Wiegemesser durch leichtes Hin- und Herbewegen grob hacken.

3. Die grob gehackten Kräuter übereinander schieben. Das Messer hin- und herwiegen, bis sie fein gehackt sind.

Chilischoten putzen und zerkleinern

1. Chilischoten der Länge nach halbieren.

2. Stielansätze, Kerne und weiße Innenwände mit einem spitzen Messer herausschneiden. Chilischoten abspülen, abtropfen lassen.

3. Chilischoten in Ringe schneiden. Vorsicht: Die Schoten sind sehr scharf, deshalb die Hände nach der Arbeit gründlich abspülen.

Paprika putzen und zerkleinern

1. Gelbe, rote oder grüne Paprikaschoten der Länge nach halbieren.

2. Stielansätze, Kerne und weiße Innenwände mit einem spitzen Messer entfernen. Gründlich innen und außen waschen.

3. Die abgetropften, halbierten Schoten vierteln. In Streifen und Würfel schneiden.

Möhren putzen und zerkleinern

1. Von den Möhren Blätter und Wurzeln abschneiden. Gründlich waschen und bürsten, falls nötig dünn schälen.

2. Möhren je nach Verwendungsart auf der Rohkostreibe grob oder fein reiben.

3. Oder die Möhren zum Dünsten und Pfannenrühren erst längs in dünne Scheiben, dann quer in feine Streifen (Julienne) schneiden.

Lauch putzen und zerkleinern

1. Wurzelansatz von den Lauchstangen abschneiden. Die äußeren, welken Blätter abziehen und abschneiden. Lauch längs durchschneiden.

2. Lauchstangen unter fließend kaltem Wasser säubern, bis der Sand aus allen Blattschichten völlig herausgespült ist.

3. Lauch abtropfen lassen. Die Lauchstangen längs in Streifen und nochmals quer in Ringe schneiden.

Zitronengras putzen und zerkleinern

1. Die äußeren Blätter und die obere, trockene Hälfte der Zitronengrasstangen entfernen.

2. Die Stangen in etwa 5 cm lange Stücke brechen und diese längs durchschneiden. Im Gericht mitkochen und vor dem Servieren entfernen.

3. Oder die Stangen mit einem Küchenmesser sehr fein hacken. Fein gehackt kann Zitronengras unbedenklich mitgegessen werden.

Zitronenschale abreiben

1. Ein Stück Pergamentpapier um eine Reibe wickeln, damit nicht zu viele Schalenreste auf der Reibefläche haften bleiben.

2. Das Papier andrücken. Eine unbehandelte Zitrone so lange darauf reiben, bis die Schale rundherum abgerieben ist.

3. Das Pergamentpapier vorsichtig von der Reibefläche entfernen. Die abgeriebene Schale mit einem Messer abstreifen.

Reis kochen

1. 200 g Langkornreis in einem Sieb mit kaltem Wasser waschen und abtropfen lassen.

2. 400 ml Wasser mit etwas Salz zum Kochen bringen. Den Reis dazugeben, zugedeckt kurz bei starker Hitze aufkochen lassen und einmal umrühren.

3. Bei kleinster Hitze den Reis etwa 20 Minuten mit geschlossenem Deckel ausquellen lassen. Der Reis soll locker und trocken sein.

Gemüse blanchieren

1. Gemüse, das schonend gegart oder tiefgekühlt werden soll, wird blanchiert. Dazu Wasser mit etwas Salz zum Kochen bringen.

2. Das Gemüse, z. B. grüne Bohnen, darin etwa 2 Minuten blanchieren oder bissfest kochen.

3. Das Gemüse herausheben und im Eiswasser abschrecken, um den Garprozess zu stoppen und die Farbe zu erhalten.

Tomaten häuten und entkernen

1. Den Stielansatz der Tomaten mit einem spitzen Messer keilförmig einschneiden. Vorsichtig lösen und herausheben.

2. Haut kreuzweise einritzen und Tomaten mit einer Schaumkelle 5 bis 10 Sekunden in kochendes Wasser tauchen.

3. Tomaten herausheben und sofort unter kaltem Wasser abschrecken, damit sie nicht weich werden.

4. Tomatenschalen mit einem kleinen spitzen Messer vorsichtig abziehen. Dann die Tomaten halbieren.

5. Das Innere mit den Kernen mit einem Teelöffel vorsichtig aus den Tomatenhälften herausschaben.

6. Tomatenhälften jeweils flach auf ein Schneidebrett drücken und in Streifen oder kleine Würfel schneiden.

Chiliblüten herstellen

1. Chilischoten mit einem Küchenmesser von der Spitze aus halbieren, jedoch nicht ganz bis an das Stielende einschneiden.

2. Vorsichtig die Kerne und die Trennwände entfernen. Die Schotenhälften längs bis kurz vor dem Stielansatz in dünne Streifen schneiden.

3. Chilischoten ca. 20 Minuten in Eiswasser legen, bis sie sich zu einer Blüte öffnen.

Gurkenblumen schneiden

1. Die Gurke unter fließend kaltem Wasser gründlich waschen und mit Küchenpapier trockenreiben.

2. In die Gurke mit einem Zestenreißer von der Spitze nach unten im Abstand von etwa 1 cm rundum Rillen einschneiden.

3. Die eingeritzte Gurke mit einem Küchenmesser in gleichmäßige Scheiben schneiden.

Frühlingszwiebellocken herstellen

1. Die Frühlingszwiebeln von Wurzelansätzen und welken Blättern befreien und gründlich waschen.

2. Das Zwiebelgrün quer kappen und die einzelnen Blätter mehrmals der Länge nach einschneiden.

3. Zwiebeln für einige Minuten in Eiswasser legen, bis sich die Blattspitzen kringeln.

Gebackene Garnelentaschen
▪ Vietnam ▪

1. Einkauf

Surimi

Das Krebsfleisch-Imitat, das aus zerkleinertem Fischfleisch, Gewürzen, Stärke und Geschmacksstoffen hergestellt wird, wird im Asienladen häufig auch als Crabmeat angeboten. Die einzeln in Folie eingewickelten Fischfleischstangen kann man frisch oder tiefgefroren kaufen.

Fischsauce

Die sehr salzige Sauce aus fermentiertem Fisch gibt es in verschiedenen Sorten; die helleren sind meist etwas aromatischer. Angebrochene Flaschen kann man an einem kühlen Ort bis zu einem halben Jahr aufbewahren.

Sojabohnensprossen

Beim Kauf sollten Sie darauf achten, dass die Sprossen frisch und knackig und an den Enden hell sind. Frische Sprossen müssen vor dem Verzehr unbedingt mit kochendem Wasser überbrüht werden. Sie können das natürliche Gift Phasin enthalten, das durch Hitze zerstört wird.

2. Zutaten

Für die Garnelentaschen:

30 g Glasnudeln

2 kleine Zwiebeln

3 Knoblauchzehen

100 g Surimi

200 g gemischtes Hackfleisch

1 Ei (Größe M)

2 EL Fischsauce

Pfeffer

2 EL Zucker

20 runde Reispapierblätter (ca. 24 cm Ø)

20 Riesengarnelen (vorgegart)

Erdnussöl zum Ausbacken

Für den Sprossendip:

20 g Sojabohnensprossen

3 Minzestiele

½ Bund Koriander

4 EL Fischsauce

3. Geräte

3 Schüsseln (davon 1 mit ca. 26 cm Ø)

Wasserkessel oder -kocher

Messer

Schneidebrett

Küchensieb

Gabel

Küchenschere

Breite Pfanne

Pfannenwender

Esslöffel

4. Zeit

Vorbereitung:
20 Minuten

Zubereitung:
40 Minuten

5. Nährwerte

pro Person

600 kcal, 2500 kJ,
41 g EW, 37 g F, 25 g KH

6. Vorbereitung

1. Glasnudeln in eine Schüssel geben, mit kochendem Wasser übergießen und etwa 10 Minuten quellen lassen.

2. Zwiebeln und Knoblauch schälen, beides hacken.

3. Surimi aus der Folie drücken und in kleine Stücke schneiden.

4. Backofen auf 120 °C vorheizen.

5. Glasnudeln in ein Sieb abgießen und abtropfen lassen. Die Nudeln mit einer Küchenschere in Stücke schneiden.

1. Fleisch, Ei, Surimi, Nudeln, Zwiebeln, Knoblauch, Fischsauce und Pfeffer mischen.

2. In eine breite Schüssel 1 ½ l warmes Wasser und den Zucker geben.

3. Jeweils 2 Reispapierblätter nacheinander in das Wasser tauchen.

4. Blätter auf ein Geschirrhandtuch legen – sie werden nach etwa 2 Minuten weich.

5. Jeweils die untere Reispapierhälfte nach oben klappen.

6. Je etwa ½ EL Hackfleischfüllung an den unteren Rand des Reispapiers geben.

7. Garnele so auf die Füllung legen, dass das Schwanzstück über den Rand ragt.

8. Etwas Füllung auf die Garnele geben. Das Reispapier zu Dreiecken einschlagen:

9. Erst die rechte Reispapierhälfte diagonal über die Füllung klappen, dann die linke.

10. Obere Reispapierhälfte nach unten, dann die Ecken um die Garnele schlagen.

11. In einer breiten Pfanne 3 cm hoch Öl bei mittlerer Hitze erwärmen.

12. Garnelentaschen in etwa 8 Minuten rundum goldbraun backen.

8. Zubereitung Sprossendip

1. Sprossen mit kochendem Wasser übergießen und abtropfen lassen.

2. Kräuter waschen und die Blättchen abzupfen. Minze in Streifen schneiden.

3. Je 4 EL Wasser und Fischsauce mit den Sprossen und Kräutern mischen.

9. Küchentipp · Bei Tisch

Vorsicht: Das Öl sollte nicht zu heiß sein, da die Taschen dann leicht aufplatzen und schnell zu dunkel werden. Die Garnelentaschen kurz auf Küchenpapier abtropfen lassen und im vorgeheizten Backofen warm halten, bis alle ausgebacken sind. Wer es lieber fruchtig-scharf mag, kann eine Aprikosensauce für die Garnelentaschen zubereiten: Einfach 4 EL Aprikosenmarmelade mit 8 EL Limettensaft und 6 EL heller Sojasauce verrühren und mit etwas Sambal Oelek abschmecken.

Die Garnelentaschen nach Belieben auf einigen Salatblättern anrichten, mit Frühlingszwiebellocken (siehe Seite 31) und Möhrenblumen (siehe Seite 62) garnieren und mit dem Sprossendip servieren.

10. Wenn etwas übrig bleibt

Aufbewahren

Die Garnelentaschen schmecken am besten frisch ausgebacken.

Sie können sie aber auch schon einige Stunden vorher zubereiten und zum

Servieren im heißen Ofen (180 °C) in ca. 30 Minuten wieder aufbacken.

Dim Sum
· China ·

1. Einkauf

Frühlingszwiebeln

Beim Kauf sollten Sie darauf achten, dass das Zwiebelgrün saftig und fest ist.

Shrimps

Sie bekommen Shrimps bereits gegart beim Fischhändler oder eingeschweißt im Supermarkt. Bei Tiefkühlware empfiehlt sich der Schütteltest: Die Shrimps müssen sich in der Schachtel locker bewegen, sonst waren sie während des Transports oder wegen falscher Lagerung bereits aufgetaut und sind dann zum Block gefroren. Die Shrimps im Kühlschrank in einem Sieb auftauen lassen. Wenn es schnell gehen soll, kann man die Shrimps auch einfach in einem Sieb mit warmem Wasser übergießen.

2. Zutaten

2 Frühlingszwiebeln

½ gelbe Paprikaschote

1 rote Peperoni

1 Knoblauchzehe

60 g Shrimps (vorgegart)

80 ml Sojasauce

75 g Mehl

1 EL Speisestärke

Mehl zum Ausrollen

1 EL Öl

3. Geräte

Messer

Schneidebrett

Schüssel

Esslöffel

Rührschüssel

Litermaß

Wasserkessel oder -kocher

Kochlöffel

Nudelholz

Bambuskorb oder Dämpfeinsatz

Küchenpinsel

Breiter Topf mit Deckel, in den der Bambuskorb passt

4. Zeit

Vorbereitung:
10 Minuten

Zubereitung:
45 Minuten

5. Nährwerte

pro Person

150 kcal, 624 kJ,
8 g EW, 3 g F, 22 g KH

6. Vorbereitung

1. Frühlingszwiebeln putzen, waschen und in kleine Würfel schneiden.

2. Paprikaschote putzen, waschen und ebenfalls in kleine Würfel schneiden.

3. Peperoni der Länge nach halbieren, entkernen, waschen und hacken.

4. Knoblauch schälen und hacken.

1. Für die Füllung Shrimps mit Frühlingszwiebeln und Paprikawürfeln mischen.

2. Peperoni, Knoblauch und 1 EL Sojasauce sorgfältig unterrühren.

3. Mehl und Speisestärke mischen, in die Mitte eine Mulde drücken.

4. Etwa 75 ml kochendes Wasser mit einem Kochlöffel in die Mulde rühren.

5. Alles mit den Händen zu einem glatten Teig verkneten.

6. Aus dem Teig 12 walnussgroße Kugeln formen.

7. Teigkugeln auf leicht bemehlter Arbeitsfläche zu Kreisen (à ca. 8 cm ø) ausrollen.

8. Auf jeden Teigkreis in der Hand ca. ½ EL Füllung geben.

9. Teigränder nach oben ziehen und andrücken – die Füllung soll noch zu sehen sein.

10. Bambuskorb oder Dämpfeinsatz mit Öl einpinseln, die Dim Sum hineinsetzen.

11. Bambuskorb in einen breiten Topf mit etwas kochendem Wasser stellen.

12. Dim Sum im Wasserdampf in etwa 10 Minuten zugedeckt garen.

Zubereitung

1. Für die Füllung 30 g Surimi klein schneiden. ½ Bund Koriander waschen, trockenschütteln und die Blätter fein hacken. 2 Frühlingszwiebeln putzen, waschen und fein würfeln. 1 rote Peperoni und 1 Knoblauchzehe hacken. ½ rote Paprikaschote in kleine Würfel schneiden. Alles mit 50 g Hackfleisch und 2 EL Sojasauce gut vermischen.

2. Den Dim-Sum-Teig wie im Rezept beschrieben zubereiten. Den Teig zu kleinen Kugeln formen und auf leicht bemehlter Arbeitsfläche ausrollen.

3. Je ca. 1 EL Füllung hineingeben. Die Teigränder nach oben ziehen, über der Füllung zusammenschlagen und mit Schnittknoblauchhalmen zusammenbinden. Teigbeutelchen in 15 Minuten im Wasserdampf garen.

9. **Küchentipp · Bei Tisch**

Dim Sum, die kleinen pikanten Snacks, gibt es in China in zig Variationen. Ob in Reis gewendet oder mit feinem Teig umhüllt – immer werden sie im Wasserdampf gegart. Damit der Wasserdampf nicht entweichen kann, legt man am besten ein Geschirrhandtuch zwischen Topf und Deckel.

Servieren Sie die Dim Sum mit der restlichen Sojasauce, die Sie nach Belieben noch mit etwas fein gehacktem Ingwer verfeinern können. Raffiniert schmecken die Häppchen auch mit einer Kräutersauce aus frischem Koriander, Sesamöl, Sojasauce, Limettensaft und gehacktem Knoblauch und Chili.

10. **Wenn etwas übrig bleibt**

Aufbewahren

Die gegarten Dim Sum halten sich mit einem feuchten Tuch abgedeckt 1 Tag im Kühlschrank. Den Teig können Sie auch schon am Vortag zubereiten, zu kleinen Kugeln formen und ausrollen. Die Teigkreise am besten zwischen ein feuchtes Geschirrhandtuch schichten, in einen großen Gefrierbeutel legen und im Kühlschrank aufbewahren.

Frühlingsrollen

▪ China ▪

1. Einkauf

Frühlingsrollen-blätter

Die Teigblätter aus Weizenmehl sind etwa 20 x 20 cm groß und werden tiefgekühlt im Asienladen angeboten. Nicht benötigte Teigplatten können Sie problemlos wieder einfrieren.

Shiitake-Pilze

Shiitake-Pilze gibt es getrocknet im Asienladen und in gut sortierten Supermärkten. Die dunkelbraunen Pilze sind sehr aromatisch und erinnern im Geschmack an unsere Steinpilze.

Chinakohl

Chinakohl ist fast ganzjährig im Handel. Er sollte beim Kauf fest und knackig sein. Im Gemüsefach des Kühlschranks hält sich Chinakohl etwa 2 Tage. Alternativ können Sie Mangold verwenden.

2. Zutaten

12–16 Frühlingsrollen-blätter (tiefgekühlt)

2 Shiitake-Pilze (getrocknet)

70 g Bambussprossen (in Streifen; aus der Dose)

2 Frühlingszwiebeln

120 g Chinakohl

120 g Hähnchenbrustfilet

½ l Erdnussöl

3 EL Reiswein

1 TL Tapiokamehl (ersatzweise Speisestärke)

80 ml Sojasauce

3. Geräte

Kleine Schüssel

Wasserkessel oder -kocher

Küchensieb

Messer

Schneidebrett

Esslöffel

Pfanne

Kochlöffel

Schmaler Topf oder Fritteuse

Schaumkelle

Litermaß

4. Zeit

Vorbereitung:

10 Minuten

Zubereitung:

45 Minuten

5. Nährwerte

pro Person

372 kcal, 1560 kJ, 12 g EW, 26 g F, 22 g KH

6. Vorbereitung

1. Frühlingsrollenblätter auftauen lassen.

2. Shiitake-Pilze in einer Schüssel mit 150 ml kochendem Wasser übergießen und ziehen lassen.

3. Bambussprossen in einem Sieb abtropfen lassen.

4. Frühlingszwiebeln putzen, waschen und der Länge nach in 5 cm lange Streifen schneiden.

5. Chinakohl putzen, waschen und in feine Streifen schneiden.

6. Hähnchenbrustfilet in feine Streifen schneiden.

1. Shiitake-Pilze trockentupfen und fein hacken. Die Pilzbrühe beiseite stellen.

2. 2 EL Öl in einer Pfanne bei großer Hitze erwärmen.

3. Hähnchenstreifen im Öl unter Rühren anbraten und aus der Pfanne nehmen.

4. Frühlingszwiebeln, Chinakohl, Pilze und Bambussprossen in der Pfanne anbraten.

5. Reiswein mit Tapiokamehl und je 3 EL Pilzbrühe und Sojasauce mischen, hinzufügen.

6. Fleisch untermischen. Alles köcheln lassen, bis die Flüssigkeit eingekocht ist.

7. Jeweils 1 EL Füllung auf das untere Drittel eines Teigblatts geben.

8. Teigblatt über die Füllung schlagen und knapp bis zur Hälfte aufrollen.

9. Dann den linken und rechten Rand nach innen einschlagen und fertig aufrollen.

10. Den Backofen auf 100 °C vorheizen. Das Erdnussöl in einem Topf erhitzen.

11. Frühlingsrollen im heißen Öl in 4 Minuten auf beiden Seiten goldbraun backen.

12. Frühlingsrollen abtropfen lassen und im Ofen warm halten, bis alle gebacken sind.

8. Rezeptvariation Verschiedene Frühlingsrollenfüllungen

Die Füllung für die Frühlingsrollen können Sie beliebig verändern, z. B. mit Shrimps statt Hähnchenfleisch oder nur mit Gemüse. Wer es gern scharf mag, würzt die Füllung mit einer gehackten Chilischote oder mit etwas fein geschnittenem Ingwer. Sie können die Teigblätter nicht nur zu Rollen formen, sondern auch zu kleinen Dreiecken zusammenklappen.

9. Küchentipp · Bei Tisch

Frühlingsrollen werden in Asien meist im Wok zubereitet: So braucht man beim Frittieren nur relativ wenig Öl, und das Fett wird außerdem im Wok sehr schnell heiß.
Wenn Sie größere Frühlingsrollen als Hauptgericht servieren möchten, können Sie die Zutaten für die Füllung einfach verdoppeln. Dann sollten Sie je 2 Teigblätter aufeinander legen, damit die Füllung rundum eine doppelte Teigschicht hat und die Rollen schön knusprig werden. Falls Sie keine Frühlingsrollenblätter bekommen, können Sie ebenso gut auch andere Fertigteige (wie Strudel-, Yufka- oder Filloteig) verwenden.

Die Frühlingsrollen mit der restlichen Sojasauce oder süß-scharfer Chilisauce servieren.

10. Wenn etwas übrig bleibt

Aufbewahren

Frisch frittiert sind die Frühlingsrollen besonders knusprig. Die fertigen Frühlingsrollen können Sie auch einfrieren. Dafür die Rollen aus dem Fett nehmen, auf Küchenpapier abtropfen und auskühlen lassen. In Gefrierbeutel füllen und bei Bedarf tiefgekühlt im vorgeheizten Backofen bei 200 °C backen oder noch einmal kurz in heißem Fett frittieren.

Omelettbeutelchen

▪ Thailand ▪

1. Einkauf

Surimi

Wer es edler mag, kann das gepresste Fischfleisch durch Krebsfleisch aus der Dose ersetzen.

Schnittknoblauchhalme

Die festen, aber doch geschmeidigen Halme, die ein zartes Knoblaucharoma haben, bekommen Sie im Asienladen und mittlerweile auch oft auf Wochenmärkten. Ersatzweise können Sie Schnittlauchhalme verwenden.

Schweinehackfleisch

Hackfleisch – egal ob vom Schwein oder vom Rind – immer am Tag des Einkaufs verwenden oder luftdicht verpackt tiefgefrieren. Durch die extreme Zerkleinerung kann das Fleisch sehr leicht verderben.

2. Zutaten

3 Frühlingszwiebeln

2 Knoblauchzehen

100 g Surimi

4 Schnittknoblauchhalme

4 Eier (Größe L)

3 EL Sonnenblumenöl

150 g Schweinehackfleisch

2–3 EL Fischsauce

Pfeffer

3. Geräte

Messer

Schneidebrett

Schüssel

Gabel

Esslöffel

Schaumkelle

Pfanne

Pfannenwender

4. Zeit

Vorbereitung:

10 Minuten

Zubereitung:

25 Minuten

5. Nährwerte

pro Person

314 kcal, 1316 kJ,
23 g EW, 24 g F, 3 g KH

6. Vorbereitung

1. Frühlingszwiebeln putzen, waschen und sehr klein schneiden.

2. Knoblauchzehen schälen und hacken.

3. Surimi aus der Folie drücken und in kleine Stücke schneiden.

4. Schnittknoblauchhalme waschen und trockentupfen.

1. Die Eier in einer Schüssel mit einer Gabel verquirlen.

2. Pro Omelett je ½ EL Öl in einer Pfanne bei kleiner bis mittlerer Hitze erwärmen.

3. Ein Viertel der Eimasse in die Pfanne geben und durch Schwenken verteilen.

4. Omelett wenden, wenn sich Blasen bilden. Dabei vorsichtig vom Rand lösen.

5. Omelett 2 Minuten weiterbacken, herausnehmen. Insgesamt 4 Omeletts backen.

6. 1 EL Öl in der Pfanne bei großer Hitze erwärmen.

7. Hackfleisch unter Rühren darin anbraten, auf mittlere Hitze zurückschalten.

8. Frühlingszwiebeln, Surimi und Knoblauch hinzufügen und kurz mitbraten.

9. Die Hackmasse mit Fischsauce ablöschen und mit Pfeffer kräftig würzen.

10. In die Mitte der Omeletts jeweils etwa 2 EL Hackmasse geben.

11. Die Omeletts zu kleinen Säckchen formen.

12. Die Säckchen jeweils mit 1 Schnittknoblauchhalm vorsichtig zusammenbinden.

8. Rezeptvariation Lachsbeutelchen

Zubereitung

1. Omeletts wie im Rezept beschrieben zubereiten. Nach Belieben unter die Eimasse noch etwas gehackten Dill rühren.

2. 250 g Lachsfilet in sehr kleine Stücke schneiden. Mit 3 gehackten Frühlingszwiebeln, ½ TL gehacktem Ingwer und 1 gehackten Knoblauchzehe in 2 EL heißem Öl anbraten.

3. Mit 1 EL Zitronensaft und 2–3 EL Fischsauce ablöschen. Omeletts füllen und mit Schnittknoblauchhalmen oder Dillzweigen zusammenbinden.

9. Küchentipp · Bei Tisch

Die Omelettbeutelchen lassen sich je nach Geschmack mit den unterschiedlichsten Füllungen zubereiten: Ob mit Fisch, Fleisch oder Gemüse – hier sind Ihrer Fantasie keine Grenzen gesetzt. Zur Abwechslung können Sie die Omeletts auch zu kleinen Taschen zusammenklappen.

Sehr dekorativ und ideal als Beilage: Die Omelettbeutelchen auf einigen in Sesamöl gedünsteten Zuckerschoten anrichten.

10. Wenn etwas übrig bleibt

Aufbewahren

Warm serviert schmecken die Omelettbeutelchen natürlich am besten, weil sie dann besonders saftig sind. Bereits abgekühlte Beutelchen beispielsweise mit etwas Sojasauce oder Fischsauce in einem Extra-Schälchen anrichten. Sowohl die Omeletts als auch die angebratene Hackmasse halten sich gut abgedeckt 1 bis 2 Tage im Kühlschrank.

Saté mit Erdnuss-Sauce

▪ Thailand / Indonesien ▪

1. Einkauf

Ingwer

Frische Ingwerknollen müssen prall und gleichmäßig gelbbraun gefärbt sein. Eingeschlagen in ein feuchtes Tuch kann man die Wurzeln im Gemüsefach des Kühlschranks 3 Wochen aufbewahren.

Kokosmilch

Im Asienladen bekommen Sie fertige Kokosmilch in Dosen. Als Alternative bieten sich Kokosmilchpulver oder feste Kokoscreme bzw. -paste an – allerdings müssen diese vor der Verwendung erst mit Wasser angerührt werden.

Koriander

Das gemahlene Gewürz finden Sie im Asienladen und in gut sortierten Supermärkten. Es hat ein intensives Aroma, aber nicht die Frische von Korianderblättchen.

Geröstete Erdnüsse

Ideal für die Sauce sind geröstete und ungesalzene Erdnüsse. Gesalzene Nüsse möglichst mit Küchenpapier abreiben.

2. Zutaten

2 Knoblauchzehen

1 rote Chilischote

20 g Ingwer

1 Zitronengrasstange

400 g Hähnchenbrustfilet

250 ml Kokosmilch

2 EL Fischsauce

6 EL Limettensaft

2 EL Sesamöl

1 gestr. TL Kurkuma

1 gestr. TL Koriander

weißer Pfeffer

100 g geröstete Erdnüsse

½ TL Zucker

3 EL helle Sojasauce

3. Geräte

Messer

Schneidebrett

20 lange Holzspieße

Große, flache Form

Litermaß

Esslöffel

2 kleine Schüsseln

Blitzhacker

Schneebesen

4. Zeit

Vorbereitung:

5 Minuten

Zubereitung:

30 Minuten
Marinierzeit: 1 Stunde

5. Nährwerte

pro Person

630 kcal, 2640 kJ,
34 g EW, 50 g F, 12 g KH

6. Vorbereitung

1. Knoblauchzehen schälen und hacken.

2. Chilischote längs halbieren, entkernen, waschen und klein schneiden.

3. Ingwer schälen und klein schneiden.

4. Von der Zitronengrasstange die äußeren Blätter und die obere, trockene Hälfte entfernen.

1. Hähnchenbrustfilet der Länge nach in dünne Streifen schneiden.

2. Fleischstreifen jeweils mit dem Messerrücken flach drücken.

3. Fleischstreifen auf lange Holzspieße fädeln und in eine große, flache Form legen.

4. Zitronengras fein hacken.

5. 125 ml Kokosmilch, Fischsauce, 3 EL Limettensaft und Sesamöl verrühren.

6. Knoblauch, Zitronengras, Kurkuma, Koriander und etwas Pfeffer hinzufügen.

7. Fleischspieße mit der Marinade begießen und etwa 1 Stunde ziehen lassen.

8. Für die Sauce Erdnüsse, Chili und Ingwer im Blitzhacker sehr fein mahlen.

9. 125 ml Kokosmilch, 3 EL Limettensaft, Zucker und helle Sojasauce unterrühren.

10. Den Backofengrill einschalten.

11. Spieße auf dem Backblech in die oberste Schiene des Backofens schieben.

12. Die Fleischspieße etwa 5 Minuten grillen, dabei einmal wenden.

8. Rezeptvariation Thailändische Hackspieße

Zubereitung

1. 2 Frühlingszwiebeln und 1 rote Chilischote putzen, waschen und hacken. 2 Knoblauchzehen und 10 g Ingwer schälen und ebenfalls hacken. Alles mit 350 g Hackfleisch (gemischt oder nur Rinderhackfleisch) mischen. Mit Salz und Pfeffer würzen.

2. 4 Zitronengrasstangen waschen und der Länge nach halbieren oder dritteln. Um die Zitronengrasstängel die Hackmasse in der Hand zu kleinen Würsten (à ca. 6 cm Länge) formen.

3. Hackspieße auf ein geöltes Backblech legen und im vorgeheizten Backofen bei 220 °C in ca. 10 Minuten garen, dabei einmal wenden.

4. Hackspieße mit Sojasauce, Fischsauce, Gemüsestreifen (siehe Rezept »Frische Frühlingsrollen«, Seite 88) oder scharfer Chilisauce (fertig gekauft) anrichten.

9. Küchentipp · Bei Tisch

Statt der Holzspieße können Sie für die Saté-Spieße Zitronengrasstangen verwenden. Das sieht nicht nur dekorativ aus, sondern gibt auch zusätzliches Aroma.

Dafür die Zitronengrasstangen jeweils der Länge nach dritteln oder halbieren und das Hähnchenfleisch darauf auffädeln. Wie im Rezept beschrieben marinieren und grillen.

Die Spießchen auf Tellern anrichten und mit der Erdnuss-Sauce (möglichst in je ein kleines Schälchen pro Person füllen) servieren.

10. Wenn etwas übrig bleibt

Aufbewahren

Die marinierten und ungegarten Spieße halten sich gut abgedeckt 1 Tag im Kühlschrank. Das Gleiche gilt für die bereits gegrillten Spieße, allerdings sind sie dann nicht mehr ganz so saftig. Sie eignen sich aber hervorragend für Salate oder auch als Suppeneinlage. Die Erdnuss-Sauce hält sich etwa 2 Tage im Kühlschrank.

Dashi mit Kresseomeletts

▪ Japan ▪

1. Einkauf

Champignons

Beim Kauf sollten Sie darauf achten, dass die Pilzhüte fest verschlossen sind.

Wasabi

Den japanischen grünen Meerrettich gibt es als Paste in der Tube und als Pulver, das man mit etwas Wasser cremig anrühren muss. Vorsicht beim Dosieren: Wasabi ist sehr scharf.

Instant-Dashi

Dashi ist die Basisbrühe für viele japanische Suppen. Sie wird aus Bonito-Flocken (Thunfisch) und Kombu-Alge hergestellt. Sie bekommen sie im Asienladen.

Miso

Die Paste aus fermentiertem Soja bekommen Sie im Reformhaus und im Asienladen. Sie hält sich gut abgedeckt einige Monate im Kühlschrank.

2. Zutaten

200 g Frühlingszwiebeln

200 g Champignons

1 rote Peperoni

2 Eier (Größe M)

Salz, Pfeffer

½ Kästchen Kresse

2 EL Öl

½ TL Wasabi

20 g Instant-Dashi

1–2 TL Miso

1–2 EL Limettensaft

3. Geräte

Messer

Schneidebrett

Kleine Schüssel

Gabel

Esslöffel

Pfanne

Pfannenwender

4 lange Holzspieße

Litermaß

Topf

Kochlöffel

4. Zeit

Vorbereitung:

10 Minuten

Zubereitung:

15 Minuten

5. Nährwerte

pro Person

130 kcal, 545 kJ,
7 g EW, 9 g F, 5 g KH

6. Vorbereitung

1. Frühlingszwiebeln putzen, waschen und längs in ca. 4 cm lange, dünne Streifen schneiden.

2. Champignons putzen. Bei 4 kleineren Pilzen die Hüte dekorativ einschneiden (z. B. in Rillen), restliche Champignons in feine Scheiben schneiden.

3. Peperoni längs halbieren, entkernen, waschen und quer in feine Streifen schneiden.

1. Eier mit etwas Salz und Pfeffer in einer kleinen Schüssel gut verquirlen.

2. Kresse vom Beet schneiden und unter die Eimasse rühren.

3. 2 Omeletts backen. Dafür je 1 EL Öl in einer Pfanne bei mittlerer Hitze erwärmen.

4. Jeweils die Hälfte der Eimasse in die Pfanne geben.

5. Die Omeletts in 2 Minuten garen, vorsichtig wenden und 2 Minuten weiterbacken.

6. Jeweils eine Omeletthälfte dünn mit Wasabi bestreichen.

7. Die Kresseomeletts zusammenklappen und fest aufrollen.

8. Omeletts in breite Streifen schneiden und je drei auf einen Holzspieß stecken.

9. 1 l Wasser mit Dashi, Miso und Peperoni aufkochen.

10. Frühlingszwiebeln, Pilzscheiben und Pilzköpfe darin 2 Minuten köcheln lassen.

11. Pilzköpfe wieder herausnehmen. Die Suppe mit Limettensaft abschmecken.

12. Dashi in Schalen füllen, mit Pilzköpfen und Kresseomelett-Spießen anrichten.

8. Rezeptvariation Dashi mit Tofu

Zubereitung

1. 200 g Tofu in Würfel schneiden. Etwas Sojasauce, Wasabi und gehackten Ingwer zu einer Marinade verrühren. Den Tofu darin ziehen lassen.

2. Statt der Champignons 200 g Möhren schälen, rundum in ca. ½ cm Abstand der Länge nach Rillen einschneiden, dann quer in feine Scheiben schneiden.

3. Dashi wie im Rezept beschrieben aufkochen. Frühlingszwiebeln und Möhrenscheiben darin 2 Minuten köcheln lassen. Marinierte Tofuwürfel zugeben und erwärmen.

9. Küchentipp · Bei Tisch

Dashi lässt sich leicht selbst herstellen: Einfach 1 ¼ l Wasser aufkochen, 1 größeres Stück Kombu-Alge waschen und etwa 3 Minuten im Wasser köcheln lassen. 3 EL Bonito-Flocken hinzufügen und einmal kurz aufkochen lassen. Die Suppe nach ca. 10 Minuten vom Herd ziehen und durch ein Sieb abgießen.

10. Wenn etwas übrig bleibt

Aufbewahren

Die Brühe und auch die Omelett-Spieße halten sich abgedeckt 1 bis 2 Tage im Kühlschrank. Die Suppe können Sie auch durch ein Sieb passieren, portionsweise einfrieren und als Basis für andere Suppen bei Bedarf auftauen.

Kokosmilchsuppe

▪ Thailand ▪

1. Einkauf

Chilischoten

Zwar heißt es häufig, je kleiner die Schote, umso schärfer das Aroma, doch es gibt auch Ausnahmen. Wenn Sie es nicht ganz so scharf mögen, einfach die Schoten unzerkleinert in die Suppe geben und vor dem Servieren wieder herausnehmen.

Shrimps

Gegarte Shrimps werden gekühlt oder tiefgekühlt im Supermarkt oder beim Fischhändler angeboten.

Helle Sojasauce

Die helle Sauce, die in der Flasche fast genauso aussieht wie die dunkle, wird hauptsächlich in der thailändischen Küche verwendet. Sie ist etwas milder als die dunkle und verfärbt helle Gerichte nicht so stark.

Gemüsebrühe

Am einfachsten ist es, Instantbrühe zu verwenden.

2. Zutaten

4 Frühlingszwiebeln

25 g Ingwer

2 rote Chilischoten

300 g Tomaten

150 g Shrimps (vorgegart)

1 EL Öl

250 ml Kokosmilch

650 ml Gemüsebrühe

ca. 3 EL helle Sojasauce

ca. 2 EL Limettensaft

3. Geräte

Messer

Schneidebrett

Kleiner Topf

Küchensieb

Großer Topf

Esslöffel

Kochlöffel

Litermaß

4. Zeit

Vorbereitung:

5 Minuten

Zubereitung:

25 Minuten

5. Nährwerte

pro Person

370 kcal, 1560 kJ,
13 g EW, 31 g F, 10 g KH

6. Vorbereitung

1. Frühlingszwiebeln putzen und waschen.

2. Ingwer schälen.

3. Chilischoten längs halbieren, entkernen, waschen und hacken.

1. Das Frühlingszwiebelgrün für die Dekoration schräg in dünne Ringe schneiden.

2. Das Weiße der Frühlingszwiebeln hacken.

3. Ingwer erst mit der breiten Messerklinge zerdrücken, dann hacken.

4. Tomaten überbrühen, häuten, halbieren, entkernen und in kleine Würfel schneiden.

5. Shrimps in einem Sieb mit kaltem Wasser abspülen und abtropfen lassen.

6. Öl in einem Topf bei kleiner bis mittlerer Hitze erwärmen.

7. Gehackte Zwiebeln, Chili und Ingwer darin ca. 2 Minuten unter Rühren dünsten.

8. Kokosmilch und Gemüsebrühe angießen.

9. Alles bei mittlerer Hitze etwa 4 Minuten köcheln lassen.

10. Die Shrimps und die Tomatenwürfel in der Kokosmilchsuppe erwärmen.

11. Die Suppe mit heller Sojasauce und Limettensaft abschmecken.

12. Die Suppe in Schalen füllen und mit den Zwiebelgrünringen bestreuen.

8. Rezeptvariation Kokosmilchsuppe mit Hähnchenbrustfilet

Zubereitung

1. Statt der Shrimps 150 g Hähnchenbrustfilet nehmen. Das Fleisch in dünne Streifen schneiden und in 1 EL Öl unter Rühren goldgelb braten.

2. 1 gelbe Paprikaschote putzen, waschen und in dünne Streifen schneiden. 150 g Tomaten überbrühen, häuten, halbieren, entkernen und in Würfel schneiden. Frühlingszwiebeln, Ingwer und Chili wie im Rezept beschrieben mit den Paprikastreifen in 1 EL Öl dünsten.

3. Kokosmilch und Brühe angießen. Die Fleischstreifen und die Tomatenwürfel hinzufügen. Die Suppe mit Limettensaft und heller Sojasauce abschmecken, mit Korianderblättchen und Zwiebelgrün garnieren.

9. Küchentipp · Bei Tisch

Nach längerem Stehen setzt sich in der Kokosmilch eine wässrige Schicht nach unten ab; oben verbleibt als festerer Bestandteil die so genannte Kokossahne. Beide Schichten lassen sich durch kräftiges Rühren wieder miteinander verbinden. Angebrochene Kokosmilch lässt sich am besten lagern, indem man sie einfriert.

Ein dekorativer Gag, wenn Sie Gäste erwarten: Die Suppe in Kokosnuss-Schalen auf exotischen Blättern servieren.

10. Wenn etwas übrig bleibt

Aufbewahren

Die Kokosmilchsuppe hält sich gut abgedeckt 1 bis 2 Tage im Kühlschrank. Sie eignet sich auch sehr gut zum Einfrieren. Am besten portionsweise in gut verschließbare und gefriertaugliche Gefäße füllen und bei Bedarf zugedeckt im Topf bei kleiner Hitze wieder erwärmen.

Wan-Tan-Suppe

▪ China ▪

1. Einkauf

Wan-Tan-Blätter

Wan-Tan-Blätter aus Weizenmehl gibt es tiefgekühlt im Asienladen. Nicht benötigte Blätter können Sie wieder einfrieren.

Koriander

Das würzige Kraut ähnelt unserer glatten Petersilie. Es ist sehr kräftig im Geschmack und erinnert ein wenig an Anis. Frisches Koriandergrün kann man 2 Tage aufbewahren, wenn man es in Wasser stellt oder in feuchtes Küchenpapier eingeschlagen im Kühlschrank lagert.

Blattspinat

Wenn es schnell gehen soll, tiefgekühlten Blattspinat verwenden und nach Packungsanweisung auftauen lassen.

Hackfleisch

Für die Füllung können Sie sowohl gemischtes Hackfleisch als auch nur Rinder- oder Schweinehackfleisch verwenden.

2. Zutaten

12–16 Wan-Tan-Blätter (tiefgekühlt)
40 g Surimi
1 Bund Koriander
1 Knoblauchzehe
60 g feiner Blattspinat
160 g Möhren
100 g Hackfleisch
Salz
1 Eiweiß (Größe M)
ca. 1 l Geflügelbrühe
6 EL Reiswein
1 EL Zitronensaft
2 EL Sojasauce

3. Geräte

Messer
Schneidebrett
Kleiner Topf
Küchensieb
Sparschäler
Rührschüssel
Knoblauchpresse
Kleine Schüssel
Gabel
Küchenpinsel
Großer Topf
Esslöffel
Schaumkelle

4. Zeit

Vorbereitung:
15 Minuten

Zubereitung:
30 Minuten

5. Nährwerte

pro Person
187 kcal, 780 kJ,
12 g EW, 7 g F, 15 g KH

6. Vorbereitung

1. Wan-Tan-Blätter auftauen lassen.

2. Surimi aus der Folie drücken und in kleine Stücke schneiden.

3. Koriander waschen und trockenschütteln. Einige Blätter für die Dekoration beiseite legen, den Rest hacken.

4. Knoblauch schälen.

5. Spinat putzen, waschen und blanchieren. Kalt abspülen und gut abtropfen lassen.

6. Möhren schälen.

1. Hackfleisch, Surimi, Koriander und etwas Salz für die Füllung gut vermischen.

2. Knoblauchzehe durch die Presse dazudrücken.

3. Wan-Tan-Blätter am linken und oberen Rand mit verquirltem Eiweiß bestreichen.

4. Jeweils etwas Füllung auf die Teigblätter geben.

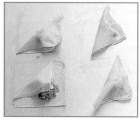

5. Die rechte untere Teigblatthälfte diagonal über die Füllung klappen.

6. Teigecken mit den Fingern am Rand andrücken.

7. Reichlich Wasser zum Kochen bringen und die Wan-Tan hineingeben.

8. Teigecken bei kleiner Hitze in 5 Minuten garen, herausheben und abtropfen lassen.

9. In die Möhren der Länge nach rundum dünne Rillen schneiden.

10. Möhren quer in Scheiben schneiden: So sehen sie wie kleine Blumen aus.

11. Brühe, Wein, Zitronensaft und Sojasauce aufkochen, darin Möhren 2 Minuten garen.

12. Spinat und Wan-Tan in der Suppe erwärmen. Mit Koriander bestreuen.

8. Rezeptvariation Thailändische Wan-Tan-Suppe

Zubereitung

1. Die Suppe wie im Rezept beschrieben zubereiten. Dazu gibt es frittierte Wan-Tan. Dafür je 2 Wan-Tan-Blätter aufeinander legen und wie im Küchentipp beschrieben füllen und eindrehen. Die beiden Teigblattspitzen leicht auseinander ziehen und in reichlich Erdnussöl knusprig frittieren.

2. Wan-Tan auf Küchenpapier abtropfen lassen. Die Suppe in tiefe Schalen füllen und die Teigtaschen hineingeben.

9. Küchentipp · Bei Tisch

Wan-Tan werden auch häufig wie Tortellini gefüllt: Dafür die Füllung auf die untere Teigecke geben und zu zwei Dritteln aufrollen. Die beiden Enden jeweils mit etwas verquirltem Eiweiß bestreichen, nach vorne ziehen und zusammendrücken. Die Wan-Tan am besten separat in kochendem Wasser garen, da die Suppe sonst trüb wird.

10. Wenn etwas übrig bleibt

Aufbewahren

Die Brühe können Sie gut abgedeckt 1 Tag im Kühlschrank aufbewahren. Wichtig: Brühe wegen des Spinats möglichst schnell abkühlen lassen und bei Bedarf rasch wieder erhitzen. Die vorgegarten Wan-Tan können Sie einfrieren. Dafür die gut abgetropften Teigecken in Gefrierbeutel füllen und zum Servieren direkt in siedend heißem Wasser erwärmen.

Bunte Suppe mit Eierblumen
▪ *Vietnam* ▪

1. Einkauf

Tomaten

Die Tomaten sollten reif, aber noch festfleischig sein, da man sie sonst nur schwer häuten kann.

Galgant

Galgant ist etwas milder als Ingwer und hat eine leicht minzige Note. Die jungen rosafarbenen Wurzeln sind am zartesten und schmecken am besten.

Zitronenblatt

Die Blätter der Kaffir-Zitrone besitzen ein herbes Aroma, das für manchen etwas gewöhnungsbedürftig ist. Zitronenblätter eignen sich hervorragend zum Einfrieren. Bei Bedarf einfach aus dem Tiefkühlfach nehmen, waschen, trockentupfen und hacken.

Palmzucker

Zu empfehlen sind die fingerdicken, runden Palmzuckerscheiben aus dem Asienladen, da man sie gut portionieren kann. Der hellgelbe bis braune Zucker wird auch als Kugel oder im Glas angeboten.

2. Zutaten

500 g Tomaten

1 Zwiebel

200 g Stangensellerie

10 g Galgant

1 Zitronenblatt

10 g Palmzucker

2 EL Erdnussöl

800 ml Geflügelbrühe

2–3 EL Fischsauce

Salz, Pfeffer

2 Eier (Größe M)

½ EL Reisessig

3. Geräte

Topf

Messer

Schneidebrett

Esslöffel

Kochlöffel

Litermaß

Kleine Schüssel

Gabel

Kleiner Topf

Schaumkelle

4. Zeit

Vorbereitung:

15 Minuten

Zubereitung:

20 Minuten

5. Nährwerte

pro Person

152 kcal, 640 kJ,
8 g EW, 9 g F, 10 g KH

6. Vorbereitung

1. Tomaten überbrühen, häuten, halbieren, entkernen und der Länge nach in Spalten schneiden.

2. Zwiebel schälen und in dünne Ringe schneiden.

3. Stangensellerie putzen und waschen. Die Blätter für die Dekoration in Streifen schneiden.

4. Galgant schälen und hacken.

5. Zitronenblatt waschen, trockentupfen und fein hacken.

6. Den Palmzucker zerreiben (siehe Küchentipp Seite 67).

1. Die Hälfte der Selleriestangen in Streifen, den Rest quer in Scheiben schneiden.

2. Das Öl in einem Topf bei kleiner bis mittlerer Hitze erwärmen.

3. Den zerriebenen Palmzucker darin unter Rühren schmelzen lassen.

4. Sellerie, Zwiebeln und Galgant hinzufügen und etwa 3 Minuten dünsten.

5. Tomatenspalten und gehacktes Zitronenblatt dazugeben und kurz mitdünsten.

6. Brühe und Fischsauce angießen. Einmal aufkochen lassen, salzen und pfeffern.

7. Die Eier in einer kleinen Schüssel mit einer Gabel gut verquirlen.

8. In einem kleinen Topf 300 ml Wasser mit dem Reisessig aufkochen.

9. Die Eier in dünnem Strahl in das Essigwasser fließen lassen.

10. Nach 1 Minute vorsichtig mit der Gabel umrühren: So bilden sich die Eierblumen.

11. Eierblumen etwa 2 Minuten leicht siedend gar ziehen lassen.

12. Eierblumen mit einer Schaumkelle herausheben und in die Suppe geben.

8. Rezeptvariation Tomatensuppe mit Eierblumen

Zubereitung

1. Statt frischer Tomaten geschälte Tomaten aus der Dose (240 g Abtropfgewicht) verwenden. Die Tomaten in einem Küchensieb abtropfen lassen, dabei den Saft auffangen. Tomaten im Sieb mit der Messerspitze grob zerkleinern. Saft mit Gemüsebrühe auf 800 ml auffüllen.

2. 1 Chilischote, 1 Zitronenblatt und 15 g Ingwer hacken. 1 Bund Frühlingszwiebeln putzen und waschen. Die Hälfte der Zwiebeln in Ringe, den Rest in Streifen schneiden. 1 rote Paprikaschote putzen, waschen und in kleine Rauten oder Würfel schneiden.

3. Zucker und Gemüse wie im Rezept beschrieben dünsten. Tomaten und Tomatenbrühe angießen. Die Eierblumen wie beschrieben garen und hinzufügen. Die Suppe mit Korianderblättchen garniert servieren.

9. Küchentipp · Bei Tisch

Den Palmzucker kann man leicht in Stücke brechen und am besten auf dem Schneidebrett mit dem Löffelrücken oder der flachen Klinge des Küchenmessers zerreiben.

Die Eierblumen gelingen leichter, wenn man sie in saurem Wasser gart: Durch den Schuss Essig stockt die Eiermasse schneller. Geben Sie kein Salz hinein, da Salz die Eierblumen ausfransen lässt.

10. Wenn etwas übrig bleibt

Aufbewahren

Die Suppe hält sich mit den Eierblumen abgedeckt im Kühlschrank 1 bis 2 Tage. Ohne Eierblumen können Sie die Suppe auch gut portionsweise einfrieren.

Scharf-saure Reisnudelsuppe

▪ Thailand ▪

1. Einkauf

Zuckerschoten

Die flachen, dünnen Schoten (auch Kaiserschoten genannt) werden hauptsächlich von Dezember bis September angeboten. Ersatzweise können Sie Erbsen verwenden.

Pak-Choi

Man bekommt den Kohl, dessen Stiele je nach Sorte weiß oder grün sind, auf dem Wochenmarkt oder im Asienladen. Sie können ihn durch Mangold oder Chinakohl ersetzen.

Eingelegter Rettich

Diese Spezialität bekommen Sie vakuumverpackt im Asienladen. Der Rettich hat ein würziges Aroma mit einer leichten Säure und viel Biss.

Reisessig

Reisessig bekommen Sie im Asienladen. Als Alternative bieten sich Weißweinessig, Aceto Balsamico oder verdünnter Obstessig an.

2. Zutaten

1 rote Paprikaschote
120 g Zuckerschoten
8 Schnittknoblauchstiele
1 rote Peperoni
½ Bund Pak-Choi
60 g eingelegter Rettich (in Scheiben)
60 g breite Reisnudeln
80 g Sojabohnensprossen
800 ml Geflügelbrühe
2–3 EL Reisessig
2 EL Fischsauce
2 EL Sojasauce

3. Geräte

Messer
Schneidebrett
Schüssel
Wasserkessel oder -kocher
Küchensieb
Litermaß
Topf
Kochlöffel
Esslöffel

4. Zeit

Vorbereitung:
10 Minuten

Zubereitung:
20 Minuten

5. Nährwerte

pro Person
174 kcal, 724 kJ,
7 g EW, 4 g F, 26 g KH

6. Vorbereitung

1. Paprikaschote putzen und waschen.

2. Zuckerschoten putzen und waschen.

3. Schnittknoblauch waschen und trockenschütteln. Die Knospe für die Dekoration beiseite legen. Restlichen Schnittknoblauch in Ringe schneiden.

4. Peperoni längs halbieren, entkernen und waschen. Die Hälften hacken.

5. Pak-Choi putzen und waschen.

6. Rettichscheiben in vier Suppenschalen verteilen.

1. Reisnudeln in Stücke brechen und mit kochendem Wasser übergießen.

2. Nudeln 15 Minuten ziehen lassen, bis sie weich, aber noch bissfest sind.

3. Sojabohnensprossen mit kochendem Wasser übergießen und abtropfen lassen.

4. Paprikaschote in dünne Streifen schneiden.

5. Zuckerschoten jeweils mit einem schrägen Schnitt halbieren.

6. Die Pak-Choi-Blätter der Länge nach in breite Streifen schneiden.

7. Geflügelbrühe und Peperoni in einen Topf geben und aufkochen lassen.

8. Paprika und Zuckerschoten hinzufügen, alles nochmals aufkochen lassen.

9. Schnittknoblauchringe, Sojabohnensprossen und Pak-Choi hinzufügen.

10. Reisnudeln in ein Sieb abgießen, kurz abtropfen lassen und in die Suppe geben.

11. Reisnudelsuppe mit Reisessig, Fisch- und Sojasauce abschmecken.

12. Suppe in die vorbereiteten Schalen mit den Rettichscheiben verteilen.

8. Rezeptvariation Scharf-saure Garnelensuppe

Zubereitung

1. Von 2 Zitronengrasstangen die äußeren Blätter und die obere, trockene Hälfte entfernen. Zitronengras fein hacken. 20 g Ingwer schälen und hacken. 2 grüne Chilischoten der Länge nach halbieren, entkernen, waschen und fein hacken.

2. 3 Frühlingszwiebeln putzen, waschen und längs in etwa 5 cm lange, dünne Streifen schneiden. 100 g Tomaten überbrühen und häuten. Die Tomaten halbieren, entkernen und in dünne Spalten schneiden.

3. 12 rohe Riesengarnelen waschen und trockentupfen. ½ Bund Koriander waschen, trockenschütteln und die Blätter abzupfen.

4. 800 ml Gemüsebrühe mit Zitronengras, Ingwer und Chili aufkochen. Riesengarnelen und Frühlingszwiebeln hineingeben. Garnelen in 3 bis 5 Minuten leicht siedend garen. Tomaten und Koriander zufügen. Mit Limettensaft, Fischsauce und heller Sojasauce abschmecken.

9. Küchentipp · Bei Tisch

Diese Suppe können Sie auch mit Langkornreis, z. B. Basmatireis, zubereiten. Den Reis am besten separat garen, damit die Suppe schön klar bleibt.

10. Wenn etwas übrig bleibt

Aufbewahren

Die Reisnudelsuppe hält sich abgedeckt im Kühlschrank 1 bis 2 Tage.

Hähnchenpfanne

Restliche Suppe in ein Sieb abgießen, dabei die Brühe auffangen. 15 g Ingwer und 2 Knoblauchzehen schälen, beides hacken. 250 g Hähnchenbrustfilet in sehr dünne Streifen schneiden und erst mit 1 EL Sojasauce, dann mit 2 EL Tapiokamehl mischen. In einer Pfanne oder im Wok 2 cm hoch Erdnussöl erhitzen, das Fleisch darin unter Rühren bei großer Hitze anbraten und herausnehmen. Das Öl bis auf einen dünnen Film aus der Pfanne gießen. Ingwer und Knoblauch anbraten. Die Suppeneinlage in die Pfanne geben, kurz erhitzen, dann das Fleisch wieder hineingeben. Etwa 3 EL Brühe und etwas Sojasauce zufügen. Die restliche Brühe können Sie portionsweise einfrieren.

Reissalat

▪ Indien ▪

1. Einkauf

Basmatireis

Dieser indische Langkorn-
reis, der an den Hängen
des Himalaya wächst, hat
ein besonders feines Aro-
ma. Alternativ können Sie
Jasminreis oder einfachen
Langkornreis verwenden.

Zucchini

Zucchini sind ganzjährig im
Handel. Neben den grünen
sieht man ab und zu auch
gelbschalige Früchte – im
Geschmack sind sie gleich.
Achten Sie beim Kauf
darauf, dass die Zucchini
fest sind und eine unver-
sehrte Schale haben.

Eierfrüchte

Die kleinen, runden Frucht-
gemüse sind auch als
grüne Mini-Auberginen
bekannt. Da sich ihr Fruchtfleisch nach dem Schnei-
den verfärbt, sollte man
sie mit etwas Zitronensaft
beträufeln oder sofort
garen. Eierfrüchte finden
Sie im Asienladen.

2. Zutaten

200 g Basmatireis
Salz
240 g Möhren
1–2 TL Zucker
250 g Zucchini
1 rote Peperoni
10 g Galgant
2 Knoblauchzehen
1 rote Zwiebel
½ Bund Koriander
5 Eierfrüchte (ca. 150 g)
1–2 EL Zitronensaft
100 g Erbsen (tiefgekühlt)
4 EL Öl
Pfeffer
3 Msp. Kurkuma
2 Msp. Kreuzkümmel
4 EL Kokosmilch
2–3 EL Reisessig

3. Geräte

Küchensieb
Litermaß
2 Töpfe (davon
1 mit Deckel)
Sparschäler
Messer
Schneidebrett
2 kleine Schüsseln
Esslöffel
Pfanne
Pfannenwender
Große Schüssel

4. Zeit

Vorbereitung:
20 Minuten

Zubereitung:
25 Minuten

5. Nährwerte

pro Person
366 kcal, 1530 kJ,
8 g EW, 13 g F, 52 g KH

6. Vorbereitung

1. Reis in Salzwasser garen
(siehe Seite 29).

2. Möhren schälen und
längs in ca. 5 cm lange,
dünne Streifen schneiden.
Mit ½ TL Zucker mischen
und 15 Minuten ziehen
lassen.

3. Zucchini putzen,
waschen und in Scheiben
schneiden.

4. Peperoni längs halbieren,
entkernen, waschen und
quer in feine Streifen
schneiden.

5. Galgant und Knoblauch
schälen, beides sehr fein
hacken.

6. Zwiebel schälen und
hacken.

7. Koriander waschen,
trockenschütteln und die
Blätter abzupfen.

1. Eierfrüchte waschen, putzen und in Spalten schneiden. Mit Zitronensaft beträufeln.

2. Erbsen und Eierfruchtspalten in kochendem Salzwasser 2 Minuten blanchieren.

3. Gemüse in ein Sieb abgießen, kalt abspülen und abtropfen lassen.

4. 2 EL Öl in einer Pfanne bei mittlerer Hitze erwärmen.

5. Zucchinischeiben und Eierfruchtspalten darin kurz anbraten, salzen und pfeffern.

6. Das Gemüse aus der Pfanne nehmen und nochmals 2 EL Öl erhitzen.

7. Zwiebeln, Peperoni, Knoblauch, Galgant, Kurkuma und Kreuzkümmel darin anbraten.

8. Die Würzmischung mit Kokosmilch, Reisessig und 3 EL Wasser verrühren.

9. Die Marinade mit Salz und dem restlichen Zucker abschmecken.

10. Den gegarten Reis in eine Schüssel umfüllen und kurz ausdämpfen lassen.

11. Die Möhrenstreifen im Sieb kalt abspülen und abtropfen lassen.

12. Gemüse, Marinade und die Hälfte des Korianders unter den Reis mischen.

8. Rezeptvariation Reissalat mit gegrillter Hähnchenbrust

Zubereitung

1. Für die Fleischmarinade 6 EL Kokosmilch mit 1 gehackten Knoblauchzehe, 10 g gehacktem Ingwer oder Galgant, 1 gewürfelten Peperoni, 1–2 EL Zitronensaft und 1–2 EL Sesamöl verrühren.

2. 600 g Hähnchenbrustfilet in einer flachen, ofenfesten Form mit der Marinade beträufeln und mindestens 1 Stunde darin ziehen lassen, dabei das Fleisch ab und zu wenden.

3. Backofengrill einschalten. Die Hähnchenbrust auf der zweiten Schiene von unten 15 Minuten grillen, dabei einmal wenden.

4. Den warmen Reissalat auf Teller verteilen. Die Filets in Scheiben schneiden und darauf anrichten.

9. Küchentipp · Bei Tisch

Den Reissalat können Sie sowohl warm als auch kalt servieren. Den völlig abgekühlten Salat sollten Sie kurz vor dem Servieren noch einmal abschmecken.

Den Reissalat nach Belieben mit ganzen Eierfrüchten, Korianderblättchen und Peperoni garnieren. Besonders dekorativ: Bananenblätter zu Schalen zusammenstecken und den Salat darin servieren.

10. Wenn etwas übrig bleibt

Aufbewahren

Der Reissalat hält sich gut abgedeckt 2 Tage im Kühlschrank. Sie sollten ihn mindestens 30 Minuten vor dem Servieren aus dem Kühlschrank nehmen.

Nudelsalat

▪ Thailand ▪

1. Einkauf

Gelbe Paprikaschote

Natürlich können Sie nach Belieben auch eine rote oder orangefarbene Paprikaschote kaufen – sie haben wie die gelben Schoten ein fruchtiges Aroma. Grüne Paprikaschoten sind dagegen noch nicht ganz ausgereift und schmecken eher bitter.

Ingwer

Frischer Ingwer ist zum Verfeinern kalter Gerichte ideal, da nur die Knolle eine fruchtige Note mit leichter Schärfe besitzt. Ingwerpulver ist kein vollwertiger Ersatz und sollte – wenn überhaupt – nur in der warmen Küche verwendet werden.

Neutrales Pflanzenöl

Empfehlenswert sind Sonnenblumen-, Raps- oder Erdnussöl, die alle keinen allzu markanten Eigengeschmack haben.

2. Zutaten

125 g Möhren

1 TL Zucker

1 gelbe Paprikaschote

3 Frühlingszwiebeln

10 g Ingwer

1 Knoblauchzehe

1 rote Peperoni

50 g dünne Reisnudeln

30 g Sojabohnensprossen

2 EL Limettensaft

2 EL Sesamöl

1 EL neutrales Pflanzenöl

1–2 EL Fischsauce

1–2 EL helle Sojasauce

Pfeffer

3. Geräte

Sparschäler

Messer

Schneidebrett

2 kleine Schüsseln

Schüssel

Wasserkessel oder -kocher

Küchensieb

Schneebesen

Esslöffel

Gabel

Küchenschere

4. Zeit

Vorbereitung:
15 Minuten

Zubereitung:
20 Minuten

5. Nährwerte

pro Person

175 kcal, 725 kJ,
4 g EW, 10 g F, 16 g KH

6. Vorbereitung

1. Möhren schälen und in dünne Streifen schneiden. In einer Schüssel mit 1 TL Zucker mischen und 20 Minuten ziehen lassen.

2. Paprikaschote und Frühlingszwiebeln putzen und waschen.

3. Ingwer und Knoblauch schälen, beides hacken.

4. Peperoni längs halbieren, entkernen, waschen und hacken.

1. Reisnudeln in eine Schüssel geben und mit kochendem Wasser übergießen.

2. Reisnudeln ca. 15 Minuten quellen lassen, bis sie weich und geschmeidig sind.

3. Inzwischen die Paprikahälften jeweils quer in dünne Streifen schneiden.

4. Frühlingszwiebeln erst in ca. 5 cm lange Stücke, dann längs in Streifen schneiden.

5. Sprossen in einem Sieb mit kochendem Wasser überbrühen und abtropfen lassen.

6. Für die Marinade Limettensaft, Sesam- und neutrales Öl mit 2 EL Wasser verrühren.

7. Ingwer, Knoblauch und Peperoni unterrühren.

8. Mit Fischsauce, heller Sojasauce, 1 Prise Zucker und Pfeffer abschmecken.

9. Die Möhrenstreifen in ein Sieb geben.

10. Die Reisnudeln darüber abgießen, kurz kalt abspülen und abtropfen lassen.

11. Die Reisnudeln mit einer Küchenschere in Stücke schneiden.

12. Gemüse und Reisnudeln mit der Marinade mischen.

8. Rezeptvariation Nudelsalat mit Wasserkastanien

Zubereitung

1. 50 g chinesische Eiernudeln nach Packungsanweisung zubereiten.

2. 200 g Wasserkastanien (aus der Dose) halbieren oder in Scheiben schneiden. 100 g Shiitake-Pilze putzen, die Stiele herausdrehen und hacken. Die Pilzhüte in Streifen schneiden.

3. 3 Frühlingszwiebeln putzen, waschen und in Streifen schneiden. 1 rote Paprikaschote putzen, waschen und in Rauten schneiden.

4. Gemüse in 2 EL Sesamöl und 1 EL neutralem Öl kurz im Wok oder in einer Pfanne mit 10 g gehacktem Ingwer und 1 gehackten Knoblauchzehe dünsten. Mit 3 EL Wasser und je 1–2 EL Fischsauce und heller Sojasauce ablöschen.

5. Nudeln mit dem Gemüse in einer Schüssel mischen. Nudelsalat nach Belieben warm oder kalt servieren.

9. Küchentipp · Bei Tisch

Typischerweise werden Nudelsalate in Thailand mit Glasnudeln zubereitet. Wir haben für dieses Rezept Reisnudeln gewählt, weil sie etwas knackiger sind und vor allem schön weiß bleiben. Die Möhrenstreifen werden gezuckert, damit sie Wasser ziehen – sie werden dann etwas weicher im Biss. Ebenso kann man auch mit Rettich oder mit Gurken verfahren, allerdings verwendet man dann statt Zucker Salz.

Garnieren Sie den Salat nach Belieben mit einem Fächer aus aufgeschnittenem Frühlingszwiebelgrün und frischen Chilischoten.

10. Wenn etwas übrig bleibt

Aufbewahren

Der Nudelsalat hält sich gut abgedeckt 2 Tage im Kühlschrank. Am besten etwa 30 Minuten vor dem Servieren aus dem Kühlschrank nehmen.

Reisnudelsuppe

Gemüsebrühe in einem Topf aufkochen. Den restlichen Nudelsalat hineingeben, kurz erhitzen und mit Sojasauce oder etwas Currypaste abschmecken.

Nach Belieben einige Shrimps hinzufügen und erwärmen. Die Suppe mit frischen Korianderblättern garnieren.

Gurkensalat mit Tofu

▪ China ▪

1. Einkauf

Salatgurke

Achten Sie beim Kauf darauf, dass die Gurke dunkelgrün und möglichst fest ist; weiche Gurken schmecken leicht bitter. Da Salatgurken kälteempfindlich sind, sollte man sie nicht im Kühlschrank lagern.

Tofu

Der Tofu sollte unbedingt schnittfest und nicht zu weich sein. Es gibt ihn im Asienladen bzw. im Supermarkt und aus kontrolliert ökologischem Anbau im Reformhaus.

Maismehl

Statt Maismehl können Sie auch Paniermehl verwenden, dann wird die Panade etwas knuspriger.

2. Zutaten

1 Salatgurke (ca. 500 g)

Salz

4 Knoblauchzehen

3 Frühlingszwiebeln

½ TL rote Currypaste

2 EL Sesamöl

1–2 EL Reisessig

250 g Tofu

2 EL helle Sesamsamen

2 Eiweiß (Größe M)

1 EL Sojasauce

1 TL Zucker

ca. 80 g Maismehl

Erdnussöl zum Braten

3. Geräte

Messer

Schneidebrett

Teelöffel

3 Schüsseln

Gabel

Esslöffel

Pfanne

Pfannenwender

Handrührgerät mit Schneebesen

Küchensieb

Tiefer Teller

4. Zeit

Vorbereitung:
10 Minuten

Zubereitung:
25 Minuten
Marinierzeit: 30 Minuten

5. Nährwerte

pro Person
350 kcal, 1470 kJ,
13 g EW, 24 g F, 20 g KH

6. Vorbereitung

1. Gurke waschen und der Länge nach halbieren. Mit einem Teelöffel die Kerne entfernen und die Hälften quer in Scheiben schneiden. Mit ½ TL Salz mischen und Wasser ziehen lassen.

2. Knoblauch schälen und hacken.

3. Frühlingszwiebeln putzen, waschen und längs in ca. 7 cm lange, feine Streifen schneiden. Zwiebelstreifen in Eiswasser legen, bis sie sich kringeln.

1. Die Currypaste und 4 EL heißes Wasser mit einer Gabel glatt rühren.

2. Sesamöl, Reisessig, Knoblauch und etwas Salz untermischen.

3. Tofu in Scheiben schneiden und 30 Minuten in der Marinade ziehen lassen.

4. Sesamsamen in einer Pfanne ohne Fett goldbraun rösten und herausnehmen.

5. Eiweiß zu steifem Schnee schlagen und die Sojasauce vorsichtig untermischen.

6. Tofu in einem Sieb abtropfen lassen, dabei die Marinade auffangen.

7. Gurkenscheiben mit der Tofumarinade mischen und mit Zucker abschmecken.

8. Den Tofu erst durch den Eischnee ziehen, dann in Maismehl wenden.

9. In einer Pfanne ca. ½ cm hoch Erdnussöl erhitzen.

10. Tofuscheiben darin in 5 Minuten bei mittlerer Hitze von beiden Seiten braten.

11. Tofu auf Küchenpapier abtropfen lassen. Zwiebellocken in ein Sieb abgießen.

12. Gurkensalat und Zwiebellocken mit Tofu anrichten und mit Sesam bestreuen.

8. Rezeptvariation Gurkensalat mit Erdnüssen

Zubereitung

1. Die Salatgurke wie im Rezept beschrieben vorbereiten.

2. Für die Marinade 2 EL Reisessig und 2 TL Zucker gut verrühren, bis sich der Zucker auflöst. 1 EL Chilisauce, einige gehackte Korianderblättchen und ½ gehackte rote Zwiebel unterrühren.

3. Die Gurkenscheiben mit der Marinade mischen und mindestens 30 Minuten ziehen lassen.

4. 150 g geröstete, ungesalzene Erdnüsse hacken. Mit 1 durchgepressten Knoblauchzehe, 1 gehackten roten Chilischote und 1 EL Fischsauce vor dem Servieren unter den Salat mischen.

9. Küchentipp · Bei Tisch

Die entkernten und gesalzenen Gurkenscheiben haben auch mariniert viel Biss und bleiben schön knackig. In China wird die längs halbierte Gurke einfach mit der Schnittfläche nach unten auf ein Brett gelegt und mit der breiten Seite eines schweren Kochmessers (besser noch mit einem Küchenbeil) leicht geklopft. So werden die Fasern aufgebrochen und können das Aroma der Marinade besonders gut aufnehmen.

Die Tofuscheiben können Sie bereits am Vortag marinieren.

10. Wenn etwas übrig bleibt

Aufbewahren

Frisch gebraten schmecken die Tofuscheiben am besten. Der Gurkensalat hält sich gut abgedeckt 2 Tage im Kühlschrank. Wenn Sie das Gurkenfruchtfleisch sehr klein schneiden, können Sie den restlichen Salat auch als Dip servieren. Dann noch einige gehackte Korianderblätter untermischen.

Meeresfrüchte in Chinakohl

▪ Thailand ▪

1. Einkauf

Gemischte Meeresfrüchte

Tiefgekühlte gemischte Meeresfrüchte gibt es in jedem gut sortierten Supermarkt. Teilweise werden sie auch in Dosen bzw. Gläsern oder frisch beim Fischhändler angeboten. Die Mischung können Sie sich auch selbst zusammenstellen: aus Muscheln, Garnelen, Tintenfisch und nach Belieben etwas Fischfilet, z. B. Lachs.

Chinakohl

Chinakohl sollte fest und knackig frisch sein. Es gibt zwei Sorten: langköpfig mit grünen Blättern und oval mit gelbgrünen, gekräuselten Blättern. Besonders dekorativ für dieses Rezept ist grüner Chinakohl. Im Frischhaltebeutel kann man das Gemüse einige Tage im Kühlschrank aufbewahren.

2. Zutaten

400 g gemischte Meeresfrüchte (tiefgekühlt)

300 g Salatgurke

3 rote Zwiebeln

1 rote Peperoni

2 Knoblauchzehen

½ Bund Koriander

Salz

8 große Chinakohlblätter

3 Zitronenblätter

4 EL Limettensaft

3–4 EL Fischsauce

½ TL Zucker

3. Geräte

Messer

Schneidebrett

Teelöffel

Schüssel

Küchensieb

Kleine Schüssel

4. Zeit

Vorbereitung:
10 Minuten

Zubereitung:
20 Minuten

5. Nährwerte

pro Person

137 kcal, 575 kJ,
19 g EW, 2 g F, 11 g KH

6. Vorbereitung

1. Meeresfrüchte aus der Packung nehmen und auftauen lassen.

2. Salatgurke waschen.

3. Zwiebeln schälen, erst längs halbieren, dann quer in dünne Streifen schneiden.

4. Peperoni längs halbieren, entkernen, waschen und quer in feine Streifen schneiden.

5. Knoblauch schälen und hacken.

6. Koriander waschen, trockenschütteln und die Blätter abzupfen.

1. Salatgurke längs halbieren, entkernen und in ca. 6 cm lange Streifen schneiden.

2. Gurkenstreifen mit 1 TL Salz mischen und 15 Minuten ziehen lassen.

3. Inzwischen die Meeresfrüchte in einem Sieb kalt abspülen und abtropfen lassen.

4. Chinakohlblätter waschen, trockentupfen und die Rippen v-förmig herausschneiden.

5. Die Hälfte der Chinakohlrippen quer in feine Streifen schneiden.

6. Zitronenblätter waschen, trockentupfen und sehr fein schneiden.

7. Limettensaft, Fischsauce, Knoblauch, Zitronenblätter und Peperoni verrühren.

8. Den Zucker und die Korianderblätter unter die Marinade mischen.

9. Die Gurkenstreifen im Sieb kalt abspülen und abtropfen lassen.

10. Meeresfrüchte mit Marinade, Gurken-, Zwiebel- und Kohlrippenstreifen mischen.

11. Auf die obere Hälfte der Chinakohlblätter jeweils etwas Salat geben.

12. Die Blattspitzen diagonal über die Füllung legen und unterklappen.

8. Rezeptvariation Meeresfrüchtesalat-Röllchen

Zubereitung

1. Möglichst große und weiche Salatblätter wie Kopfsalat oder Römersalat verwenden. Alternative: Salatblätter kurz in kochendes Wasser tauchen, kalt abspülen und trockentupfen – so werden sie schön geschmeidig. 4 frische Blätter in feine Streifen schneiden, unter die Meeresfrüchte, Gurken- und Zwiebelstreifen mischen.

2. Auf 8 weiche oder blanchierte Salatblätter jeweils etwas Füllung geben und aufrollen. Mit einem Schälchen heller Sojasauce oder etwas Fischsauce zum Dippen servieren.

9. Küchentipp · Bei Tisch

Zitronenblätter werden im Asienladen meist in kleinen Packungen à ca. 10 Stück angeboten. Sie können die restlichen Blätter sehr gut im Gefrierbeutel oder in einem verschließbaren Plastikgefäß einfrieren: Bei Bedarf einfach kurz abspülen und wie im jeweiligen Rezept angegeben klein schneiden.

Wenn es schnell gehen soll, tiefgekühlte Meeresfrüchte mit etwas Wasser in einen Topf geben und zugedeckt bei großer Hitze einmal aufkochen lassen. Die Meeresfrüchte bekommen ein besonders intensives Aroma, wenn man sie noch warm mit der Marinade mischt.

10. Wenn etwas übrig bleibt

Aufbewahren

Der Meeresfrüchtesalat hält sich abgedeckt 1 Tag im Kühlschrank. Sie können den Salat einige Stunden im Voraus zubereiten. Füllen Sie die Salatblätter aber erst kurz vor dem Servieren.

Frische Frühlingsrollen

▪ Vietnam ▪

1. Einkauf

Riesengarnelen

Wenn Sie nur rohe Garnelen bekommen können, geben Sie diese in etwas kochendes Wasser und lassen Sie sie ca. 2 Minuten zugedeckt garen.
Die Garnelen dann kalt abschrecken und der Länge nach halbieren.

Blattsalat

Die Blätter sollten nicht zu fest sein, da sie beim Aufrollen leicht brechen. Besonders eignet sich Endiviensalat.

Sojabohnensprossen

Sie sollten nur knackig frische Sprossen verwenden. Ansonsten lieber auf Sprossen aus dem Glas oder aus der Dose zurückgreifen.

Reispapierblätter

Die hauchdünnen Teigblätter aus Reismehl, Wasser und Salz gibt es in unterschiedlichen Größen und Formen. Die Blätter sind sehr zerbrechlich. Angebrochene Packungen trocken aufbewahren.

2. Zutaten

220 g Möhren

100 g Rettich

2 TL Zucker

4 Riesengarnelen (vorgegart)

1 kleiner Kopf Blattsalat

½ Bund Koriander

16 Schnittknoblauchstiele

50 g dünne Reisnudeln

30 g Sojabohnensprossen

8 runde Reispapierblätter (ca. 20 cm ø)

50 ml Fischsauce

Pfeffer

3. Geräte

Sparschäler

Messer

Schneidebrett

3 Schüsseln

Salatschleuder

Küchensieb

Wasserkessel oder -kocher

Litermaß

Breite Schüssel (ca. 22 cm ø)

Gabel

Küchenschere

Esslöffel

4. Zeit

Vorbereitung:
25 Minuten

Zubereitung:
30 Minuten

5. Nährwerte

pro Person
165 kcal, 680 kJ,
15 g EW, 2 g F, 21 g KH

6. Vorbereitung

1. Möhren und Rettich schälen und in dünne Streifen schneiden. Jeweils in einer Schüssel mit 1 TL Zucker mischen und 15 Minuten ziehen lassen. In einem Sieb abspülen und abtropfen lassen.

2. Garnelen kalt abspülen, trockentupfen und längs halbieren.

3. Salat waschen, trockenschleudern und 4 große Blätter halbieren.

4. Koriander waschen, trockenschütteln und die Blätter abzupfen.

5. Schnittknoblauch waschen, trockenschütteln, die unteren Hälften abschneiden.

6. Reisnudeln in eine Schüssel geben.

1. Reisnudeln mit kochendem Wasser übergießen und 15 Minuten quellen lassen.

2. Sojabohnensprossen mit kochendem Wasser übergießen und abtropfen lassen.

3. In eine breite Schüssel 1 ½ l warmes Wasser geben.

4. Jeweils 2 Reispapierblätter nacheinander in das Wasser tauchen.

5. Die Blätter auf ein Geschirrhandtuch legen – sie sind nach etwa 2 Minuten weich.

6. Nudeln in ein Sieb abgießen und mit einer Küchenschere in Stücke schneiden.

7. Je ½ Salatblatt auf das untere Reispapierdrittel legen.

8. Darauf ca. 1 EL Nudeln, einige Möhrenstreifen und Sojabohnensprossen geben.

9. Die Füllung in das Reispapier rollen, dabei die Ränder nach innen einschlagen.

10. Etwas Koriander und 1 halbierte Garnele auf das Reispapier legen.

11. 2 Schnittknoblauchhälften so dazulegen, dass die Knospen hinausragen.

12. Das Reispapier eng aufrollen, dabei die eingeschlagenen Seiten festhalten.

7. Zubereitung Frische Frühlingsrollen

13. Die Fischsauce mit 50 ml Wasser mischen und mit Pfeffer würzen.

14. Rettich- und restliche Möhrenstreifen dazugeben.

15. Die Frühlingsrollen auf dem restlichen Salat mit der Sauce anrichten.

8. Rezeptvariation Glücksrollen mit Hackfleisch

Zubereitung

1. Sie können die frischen Frühlingsrollen auch mit Hackfleisch statt mit Garnelen zubereiten. Dafür 250 g gemischtes Hackfleisch in 2 EL Öl anbraten, 1 Knoblauchzehe dazupressen und mit Salz und Pfeffer kräftig würzen.

2. Das Hackfleisch wie im Rezept beschrieben mit den Glasnudeln und dem Gemüse in das vorbereitete Reispapier möglichst stramm einwickeln und mit der Sauce servieren.

9. Küchentipp · Bei Tisch

Die eingeweichten Reispapierblätter dürfen sich auf dem Geschirrhandtuch nicht berühren, da sie sehr leicht zusammenkleben. Wenn Sie die frischen Frühlingsrollen einige Stunden im Voraus zubereiten möchten: Fertige Rollen mit einem feuchten Geschirrhandtuch oder mit Frischhaltefolie abdecken, damit sie nicht austrocknen bzw. das Reispapier wieder hart wird.

10. Wenn etwas übrig bleibt

Aufbewahren

Die frischen Frühlingsrollen eignen sich nicht zum Aufbewahren.

Die Fischsauce mit den Gemüsestreifen hält sich dagegen gut abgedeckt 1 bis 2 Tage im Kühlschrank.

Nudeln »Acht Düfte«
▪ China ▪

1. Einkauf

Thai-Spargel

Die schlanken grünen Mini-Spargelstangen bekommen Sie im Asienladen. Sie sind besonders fein und benötigen nur eine kurze Garzeit.

Mageres Schweinefleisch

Ideal für dieses Rezept ist z. B. Schnitzelfleisch. Wer es edler mag, kann auch Schweinefilet verwenden.

Chinesische Eiernudeln

Die dünnen Nudeln aus Weizenmehl gibt es im Asienladen und in gut sortierten Supermärkten.

Ei

EU-weit werden Hühnereier in vier Gewichtsklassen eingeteilt:

S = weniger als 53 g

M = 53 bis 63 g

L = 63 bis 73 g

XL = 73 g und mehr

Kaufen Sie Eier möglichst frisch und in kleinen Mengen, die Sie bald verbrauchen. Je frischer das Ei, desto hochwertiger sein Inhalt.

2. Zutaten

120 g Lauch

100 g Bambussprossen (in Streifen; aus der Dose)

250 g Thai-Spargel

300 g mageres Schweinefleisch

2 rote Chilischoten

2 Knoblauchzehen

1 Limette

1 EL Tapiokamehl (ersatzweise Speisestärke)

2–3 EL helle Sojasauce

½ TL Zucker

160 g chinesische Eiernudeln

1 Ei (Größe L)

4 EL Öl

1 EL Sesamöl

100 g Shrimps (vorgegart)

3. Geräte

Messer

Schneidebrett

Küchensieb

Zitruspresse

2 Rührschüsseln

Esslöffel

Wasserkessel oder -kocher

Kleine Schüssel

Gabel

Pfanne

Pfannenwender

Breite Pfanne oder Wok

Kochlöffel

4. Zeit

Vorbereitung:

15 Minuten

Zubereitung:

20 Minuten

5. Nährwerte

pro Person

428 kcal, 1790 kJ, 31 g EW, 18 g F, 34 g KH

6. Vorbereitung

1. Lauch putzen, waschen und in Ringe schneiden.

2. Sprossen kalt abspülen und abtropfen lassen.

3. Vom Thai-Spargel die unteren Enden entfernen, Spargelstangen halbieren.

4. Fleisch in dünne Streifen schneiden.

5. Chilischoten der Länge nach halbieren, entkernen, waschen und in feine Streifen schneiden.

6. Knoblauch schälen und hacken.

7. Limette halbieren. Eine Hälfte auspressen, die andere für die Dekoration in Spalten schneiden.

8. In einer Schüssel das Tapiokamehl mit 1–2 EL Sojasauce und dem Zucker mischen.

1. Fleischstreifen mit dem Tapiokamehl-Mix mischen und ziehen lassen.

2. Eiernudeln mit kochendem Wasser übergießen und 5 Minuten quellen lassen.

3. Das Ei verquirlen. 1 EL Öl in einer Pfanne bei kleiner bis mittlerer Hitze erwärmen.

4. Die Eimasse in die Pfanne geben und durch Schwenken gleichmäßig verteilen.

5. Omelett in ca. 2 Minuten backen, dabei wenden. Herausnehmen und aufrollen.

6. Nudeln abgießen und abtropfen lassen. 2 EL Öl bei großer Hitze erwärmen.

7. Die Fleischstreifen darin rundum knusprig anbraten, dann herausnehmen.

8. Je 1 EL Öl und Sesamöl in der Pfanne oder im Wok bei mittlerer Hitze erwärmen.

9. Spargel darin in 3 Minuten unter Rühren anbraten.

10. Lauch, Knoblauch, Chili und 1 EL Sojasauce zufügen, weitere 3 Minuten dünsten.

11. Shrimps, Fleisch, Sprossen, Nudeln, Limettensaft und Sojasauce unterrühren.

12. Omelettrolle in dünne Streifen schneiden und untermischen.

8. Rezeptvariation Nudeln mit Rindfleisch

Zubereitung

1. Das Ei mit 1 Msp. Wasabi verquirlen und zu einem Omelett backen. Tapiokamehl, Sojasauce und Zucker mischen.

2. 300 g Rindfleisch, z.B. Minutensteaks aus der Hüfte, in feine Streifen schneiden und mit dem Tapiokamehl-Mix mischen.

3. 20 g Ingwer mit je 2 Chilischoten und Knoblauchzehen fein hacken. 80 g Sojabohnensprossen in einem Sieb mit kochendem Wasser überbrühen. Je 150 g Lauch und Möhren in feine Streifen schneiden.

4. 160 g Eiernudeln mit kochendem Wasser überbrühen und kurz quellen lassen. 100 g Surimi klein schneiden.

5. Fleisch scharf anbraten und aus der Pfanne oder dem Wok nehmen. Dann das Gemüse mit den Gewürzen und etwas heller Sojasauce dünsten. Surimi, Fleisch, Omelettstreifen, Sprossen und Nudeln gut untermischen. Mit etwas Sojasauce und Limettensaft abschmecken.

9. Küchentipp · Bei Tisch

Beim Anbraten der Fleischstreifen das Fleisch in das heiße Öl geben und kurz ruhen lassen. Erst wenn es sich relativ leicht vom Pfannenboden lösen lässt, unter Rühren weiterbraten – so wird es schön knusprig.

Besonders dekorativ, wenn Sie Gäste erwarten: Bananenblätter zu Schalen formen, mit Zahnstochern feststecken und die Nudeln darin servieren.

10. Wenn etwas übrig bleibt

Aufbewahren

Die Nudelpfanne hält sich gut abgedeckt 2 Tage im Kühlschrank. Kleine Reste können Sie auch als Suppeneinlage in heißer Brühe servieren.

Nudelpfanne

▪ Thailand ▪

1. Einkauf

Rinderfilet

Rinderfilet ist für die Nudelpfanne besonders geeignet, da es eine sehr kurze Garzeit hat. Nicht ganz so edel sind Rumpsteaks oder Minutensteaks.

Sherry

Am besten trockenen Sherry zum Marinieren verwenden.

Knoblauch

Besonders intensiv ist das Aroma der rosafarbenen Knollen. Wichtig beim Kauf: Die Knollen sollten möglichst fest und trocken sein und dürfen keine grünen Triebe haben.

Austernpilze

Frische Pilze sind zart, ihre Hüte unversehrt. Sie sollten kleine Pilze bevorzugen, denn diese haben das beste Aroma. Im Gemüsefach des Kühlschranks kann man die Pilze 2 bis 3 Tage aufbewahren. In Folie verpackte Pilze müssen sofort geöffnet werden, damit sie Luft bekommen.

2. Zutaten

400 g Rinderfilet

2 EL Sherry

60 g Glasnudeln

200 g Stangensellerie

je 1 kleine rote und orangefarbene Paprikaschote

2 Knoblauchzehen

1 Limette

½ Bund Koriander

2 Zitronenblätter

200 g Austernpilze

3 EL Fischsauce

2 EL Austernsauce

3 EL helle Sojasauce

½ TL Zucker

5 EL Öl

3. Geräte

Messer

Schneidebrett

2 Schüsseln

Wasserkessel oder -kocher

Zitruspresse

Küchensieb

Küchenschere

Esslöffel

Litermaß

Breite Pfanne oder Wok

Kochlöffel

4. Zeit

Vorbereitung:

20 Minuten

Zubereitung:

25 Minuten

5. Nährwerte

pro Person

365 kcal, 1527 kJ,
27 g EW, 17 g F, 23 g KH

6. Vorbereitung

1. Rinderfilet in sehr feine Streifen schneiden und in einer Schüssel mit Sherry mischen, ziehen lassen.

2. Glasnudeln in einer Schüssel mit kochendem Wasser übergießen und 10 Minuten quellen lassen.

3. Stangensellerie putzen und waschen. Das Selleriegrün für die Dekoration beiseite legen.

4. Paprikaschoten putzen und waschen.

5. Knoblauch schälen und hacken.

6. Limette halbieren. Eine Hälfte auspressen, die andere für die Dekoration in Spalten schneiden.

7. Koriander waschen, trockenschütteln und die Blätter abzupfen.

1. Zitronenblätter waschen und hacken.

2. Die Hälfte des Selleries in kleine Würfel, den Rest in feine Streifen schneiden.

3. Rote Paprikaschote in Streifen, orangefarbene in Würfel schneiden.

4. Glasnudeln in ein Sieb abgießen, abtropfen lassen und klein schneiden.

5. Austernpilze putzen. Größere Pilze in breite Streifen schneiden, kleinere halbieren.

6. 175 ml Wasser, Fisch-, Austern- und Sojasauce, Zucker und Limettensaft verrühren.

7. 3 EL Öl in einer Pfanne oder im Wok bei großer Hitze erwärmen.

8. Fleischstreifen darin unter Rühren anbraten.

9. Knoblauch dazugeben und kurz mitbraten. Beides aus der Pfanne nehmen.

10. 2 EL Öl bei mittlerer Hitze erwärmen. Das Gemüse darin unter Rühren anbraten.

11. Die Saucenmischung und Zitronenblätter hinzufügen, 2 Minuten köcheln lassen.

12. Nudeln und Fleisch untermischen, alles kurz erhitzen.

8. Rezeptvariation Chinesische Nudelpfanne

Zubereitung

1. Statt der Glasnudeln 60 bis 80 g chinesische Eiernudeln verwenden. Die Nudeln in einer Schüssel mit kochendem Wasser überbrühen und einige Minuten quellen lassen.

2. 2 Chilischoten längs halbieren und entkernen. Fein hacken und mit dem Knoblauch wie im Rezept beschrieben zum Fleisch geben.

3. Statt der Zitronenblätter 15 g Ingwer schälen, hacken und mit dem Gemüse kurz anbraten. Die restlichen Zutaten wie im Rezept beschrieben zubereiten.

9. Küchentipp · Bei Tisch

Die abgetropften Glasnudeln schneiden Sie am besten mit einer Küchenschere in Stücke – so lassen sie sich leichter unter das Gemüse mischen. Wenn Sie keine Ingwerstückchen im Essen mögen oder die Knolle holzig geworden ist, einfach den geschälten Ingwer durch eine Knoblauchpresse drücken und nur den Saft in die Chinesische Nudelpfanne geben.

Die Nudelpfanne mit Limettenspalten und Selleriegrün garniert servieren.

10. Wenn etwas übrig bleibt

Aufbewahren

Die Nudelpfanne hält sich gut abgedeckt 2 Tage im Kühlschrank. Bei Bedarf einfach mit etwas Wasser oder Brühe im Wok unter Rühren erhitzen. Kalt serviert wird die Nudelpfanne ganz schnell zu einem Glasnudelsalat. Einfach noch einige Chinakohlstreifen untermischen und den Salat mit etwas Reisessig und gehacktem Ingwer abschmecken.

Reisnudeln mit Entenbrust

▪ Thailand ▪

1. Einkauf

Mini-Maiskolben

Die kleinen Kolben werden leider nur sehr selten im Sommer frisch auf dem Markt angeboten. Außerhalb der Saison bekommen Sie Mini-Maiskolben in Dosen im Asienladen und in gut sortierten Supermärkten. Sie sind in Salzlake eingelegt. Anders als bei großen Maiskolben kann man den Strunk mitessen.

Thai-Basilikum

Die Kräuterblätter haben nur vom Namen her Ähnlichkeit mit dem aus der italienischen Küche bekannten Basilikum. Sie schmecken nach Minze und haben eine leichte Schärfe. Erhältlich im Asienladen.

Reisnudeln

Die getrockneten Nudeln aus Reismehl findet man im Asienladen in unterschiedlichen Varianten. Wir haben für dieses Rezept ca. 1 cm breite Nudeln verwendet. Man kann sie – im Gegensatz zu feinen Reisnudeln – vor dem Überbrühen in Stücke brechen.

2. Zutaten

300 g Tomaten

1 Dose Mini-Maiskolben (225 g Abtropfgewicht)

2 Zwiebeln

2 rote Chilischoten

2 Knoblauchzehen

1 Thai-Basilikumstiel

180 g Reisnudeln

1 großes Entenbrustfilet (ca. 400 g)

4–5 EL Fischsauce

3–4 EL Austernsauce

3. Geräte

Topf

Messer

Schneidebrett

Küchensieb

Schüssel

Wasserkessel oder -kocher

Große Pfanne oder Wok

Pfannenwender

Kleine Schüssel oder tiefer Teller

Esslöffel

4. Zeit

Vorbereitung:

15 Minuten

Zubereitung:

20 Minuten

5. Nährwerte

pro Person

567 kcal, 2376 kJ, 38 g EW, 13 g F, 74 g KH

6. Vorbereitung

1. Tomaten überbrühen, häuten, halbieren und entkernen. Das Fruchtfleisch in Spalten schneiden.

2. Maiskolben in ein Sieb geben, kalt abspülen und abtropfen lassen.

3. Zwiebeln schälen.

4. Chilischoten längs halbieren, entkernen und fein hacken.

5. Knoblauch schälen und ebenfalls fein hacken.

6. Thai-Basilikum waschen, trockentupfen und die Blätter abzupfen.

1. Reisnudeln in Stücke brechen und mit kochendem Wasser übergießen.

2. Nudeln ca. 15 Minuten quellen lassen, bis sie weich sind, aber noch Biss haben.

3. Inzwischen die weiße, fette Haut der Entenbrust ablösen und klein schneiden.

4. Die Haut in einer Pfanne oder im Wok bei kleiner Hitze auslassen, herausnehmen.

5. Maiskolben der Länge nach halbieren.

6. Zwiebeln erst längs halbieren, dann quer in feine Streifen schneiden.

7. Das Entenbrustfilet in dünne Scheiben schneiden.

8. Die Fleischscheiben bei großer Hitze im Entenfett unter Rühren kurz anbraten.

9. Fleisch herausnehmen und in eine Schüssel oder einen tiefen Teller geben.

10. Maiskolben, Chili, Knoblauch und Zwiebeln bei mittlerer Hitze anbraten.

11. Mit Fisch- und Austernsauce ablöschen. Reisnudeln im Sieb abtropfen lassen.

12. Nudeln, Fleisch (mit Saft), Tomaten und Basilikum hinzufügen, alles kurz erhitzen.

Zubereitung

1. Statt der Zwiebeln ½ Bund Frühlingszwiebeln in Ringe schneiden. Koriander statt Thai-Basilikum verwenden. Knoblauch und Chilischoten wie im Rezept beschrieben vorbereiten. 15 g Ingwer schälen und fein hacken.

2. 1 rote Paprikaschote waschen, putzen und in Rauten schneiden. Reisnudeln in einer Schüssel mit kochendem Wasser übergießen. 40 g Sojabohnensprossen in einem Sieb heiß überbrühen.

3. 300 g Hähnchenbrustfilet in dünne Scheiben schneiden. In der Pfanne oder im Wok in 2 EL Erdnussöl bei großer Hitze anbraten und wieder herausnehmen.

4. 2 EL Sesamöl erhitzen. Alle Zutaten – außer den Nudeln und den Korianderblättchen – kurz dünsten. Mit 4 EL heller Sojasauce und 3 EL Austernsauce ablöschen. Nudeln untermischen und kurz mitgaren. Mit Korianderblättchen bestreuen.

9. Küchentipp · Bei Tisch

Wenn Sie frische Mini-Maiskolben auf dem Markt sehen, sollten Sie unbedingt zugreifen: Die Kolben sind besonders knackig und schmecken recht mild. Einfach in kochendes Salzwasser geben und einmal kurz aufkochen lassen. In ein Sieb abgießen, kalt abspülen und abtropfen lassen. Dann wie im Rezept beschrieben braten.

Die Reisnudeln mit Entenbrust nach Belieben auf einem Salatbett anrichten. Wer es deftiger mag, kann das Gericht mit den knusprigen Entenhautstücken bestreuen.

10. Wenn etwas übrig bleibt

Aufbewahren

Die gebratenen Reisnudeln mit der Entenbrust halten sich abgedeckt 2 Tage im Kühlschrank. Zum Aufwärmen nur ganz kurz in einer Pfanne oder im Wok erhitzen, damit das Fleisch nicht trocken und zäh wird. Dabei eventuell etwas Wasser oder Gemüsebrühe angießen.

Nasigoreng

▪ Indonesien ▪

1. Einkauf

Basmatireis

Diesen Langkornreis gibt es inzwischen auch von bekannten Markenherstellern im Supermarkt. Preiswerter kauft man ihn im Asienladen ein. Ersatzweise können Sie auch anderen Langkornreis verwenden.

Kokosöl

Kokosöl ist wegen seiner Hitzebeständigkeit besonders gut zum Braten geeignet. Im Asienladen wird es meist in Flaschen angeboten. Kokosöl erstarrt bereits bei Raumtemperatur. Am besten tauchen Sie die Flasche kurz in heißes Wasser, damit sich die Außenschicht wieder etwas verflüssigt.

Garnelenpaste

Garnelenpaste bekommen Sie im Asienladen auch als leicht bröckeligen Block. In dieser Form ist die Würzzutat einfacher zu handhaben.

2. Zutaten

200 g Basmatireis

Salz

100 g Sojabohnensprossen

150 g Möhren

180 g Chinakohl

400 g Hähnchenbrustfilet

3 rote Chilischoten

100 g weiße Zwiebeln

2 Knoblauchzehen

8 Schnittknoblauchstiele

einige Thai-Basilikum-blätter

1 Ei (Größe L)

4 EL Kokosöl

3 EL süße Sojasauce

1 EL Sojasauce

1 EL Reisessig

1 EL Tomatenketchup

¼ TL Garnelenpaste

200 g Shrimps (vorgegart)

3. Geräte

Küchensieb

Litermaß

Topf mit Deckel

Wasserkessel oder -kocher

Sparschäler

Messer

Schneidebrett

Kleine Schüssel

Gabel

Kochlöffel

Esslöffel

Breite Pfanne oder Wok

4. Zeit

Vorbereitung:

20 Minuten

Zubereitung:

25 Minuten

5. Nährwerte

pro Person

468 kcal, 1958 kJ, 34 g EW, 16 g F, 46 g KH

6. Vorbereitung

1. Den Reis in Salzwasser garen (siehe Seite 29).

2. Sojabohnensprossen in einem Sieb überbrühen und abtropfen lassen.

3. Möhren schälen, Chinakohl putzen und waschen.

4. Hähnchenbrustfilet in sehr feine Streifen schneiden.

5. Chilischoten der Länge nach halbieren, entkernen, waschen und quer in feine Streifen schneiden.

6. Zwiebeln und Knoblauch schälen, beides hacken.

7. Für die Dekoration Schnittknoblauch und Thai-Basilikum waschen und trockenschütteln. Die Halme kürzen, die Blätter abzupfen.

1. Ei mit einer Gabel verquirlen. 1 EL Öl in einer Pfanne bei kleiner Hitze erwärmen.

2. Das verquirlte Ei hineingeben, dabei die Pfanne schwenken.

3. Omelett in 3 Minuten backen, dabei wenden. Herausnehmen und aufrollen.

4. Chinakohl in 1 cm breite Streifen, Möhren in 5 cm lange, dünne Streifen schneiden.

5. Deckel vom Reistopf öffnen, vorsichtig rühren, damit der Reis ausdampfen kann.

6. Die Sojasaucen mit Reisessig, Ketchup und zerriebener Garnelenpaste verrühren.

7. 2 EL Öl in einer breiten Pfanne oder im Wok bei großer Hitze erwärmen.

8. Die Fleischstreifen darin unter Rühren anbraten und herausnehmen.

9. 1 EL Öl bei mittlerer Hitze erwärmen. Zwiebeln, Knoblauch und Chili darin dünsten.

10. Möhrenstreifen dazugeben und kurz mitdünsten, dann den Chinakohl zufügen.

11. Zunächst den Reis, dann die Saucenmischung unter das Gemüse rühren.

12. Fleisch, Sprossen und Shrimps dazugeben. Kurz erhitzen und mit Salz würzen.

7. **Zubereitung** Nasigoreng

13. Die Omelettrolle in feine Streifen schneiden.

14. Die Reispfanne in vier kleine Schüsseln füllen und andrücken.

15. Auf Teller stürzen, mit Thai-Basilikum, Schnittknoblauch und Omelett garnieren.

8. **Rezeptvariation** Bamigoreng

Zubereitung

Als Variante können Sie den Reis durch 200–250 g chinesische Eiernudeln ersetzen. Die Nudeln mit kochendem Wasser überbrühen und 10 Minuten quellen lassen. In ein Sieb abgießen und unter das Gemüse mischen.

9. **Küchentipp · Bei Tisch**

Den Reis am besten schon am Vortag garen – dann ist er trocken und klebt beim Braten nicht so leicht zusammen. In Asien verwendet man zum Reisgaren einen speziellen Reiskocher, den man mittlerweile auch bei uns in gut sortierten Haushaltswarengeschäften und Asienläden kaufen kann.

10. **Wenn etwas übrig bleibt**

Aufbewahren

Der gebratene Reis hält sich gut abgedeckt 1 bis 2 Tage im Kühlschrank. Das Gleiche gilt für die Omelettstreifen. Den Reis einfach mit etwas Wasser oder Gemüsebrühe bei kleiner bis mittlerer Hitze erwärmen.

Kanton-Reis
▪ China ▪

1. Einkauf

Bambussprossen

Bambussprossen werden bei uns fast nur in Dosen angeboten – in Hälften, in Streifen oder in größeren Stücken.

Shiitake-Pilze

Die Chinesischen Champignons, auch Tongu-Pilze genannt, kann man frisch oder getrocknet kaufen. Vor der Verwendung reibt man frische Pilze nur vorsichtig ab und entfernt die Stiele. Getrocknete Shiitake-Pilze müssen für einige Zeit in Wasser eingeweicht werden.

Erbsen

Beim Kauf von tiefgekühlten Erbsen sollten Sie unbedingt den Schütteltest machen: Die Erbsen müssen sich locker in der Schachtel bewegen, sonst waren sie schon einmal aufgetaut und sind dann zum Block gefroren.

2. Zutaten

200 g Basmatireis

Salz

6 Frühlingszwiebeln

10 g Ingwer

2 Knoblauchzehen

120 g Bambussprossen (in Streifen; aus der Dose)

70 g Surimi

2 rote Chilischoten

einige Korianderstiele

8 Shiitake-Pilze (getrocknet)

150 g Erbsen (tiefgekühlt)

1 Ei (Größe L)

3 EL Öl (z. B. Erdnussöl)

240 g Shrimps (vorgegart)

2 EL Sesamöl

3–4 EL Reiswein

4 EL helle Sojasauce

3. Geräte

Küchensieb

Topf mit Deckel

Litermaß

Kochlöffel

Messer

Schneidebrett

Schüssel

Kleine Schüssel

Gabel

Kleine Pfanne

Esslöffel

Breite Pfanne oder Wok

Pfannenwender

4. Zeit

Vorbereitung:

20 Minuten

Zubereitung:

25 Minuten

5. Nährwerte

pro Person

458 kcal, 1916 kJ, 26 g EW, 16 g F, 40 g KH

6. Vorbereitung

1. Basmatireis in Salzwasser garen (siehe Seite 29).

2. Frühlingszwiebeln putzen, waschen und in 5 cm lange, dünne Streifen schneiden.

3. Ingwer und Knoblauch schälen, beides hacken.

4. Bambussprossen in ein Sieb geben und abtropfen lassen.

5. Surimi aus der Folie drücken und längs in dünne Streifen schneiden.

6. Chilischoten längs halbieren, entkernen, waschen und quer in feine Streifen schneiden.

7. Koriander waschen und trockenschütteln.

1. Shiitake-Pilze in eine Schüssel geben, Erbsen in einem Sieb darüber hängen.

2. Erbsen mit kochendem Wasser überbrühen, die Pilze darin 10 Minuten einweichen.

3. Ei verquirlen und in einer Pfanne in 1 EL heißem Öl ein Omelett backen.

4. Omelett aufrollen und in Streifen schneiden.

5. Shiitake-Pilze abgießen, trockentupfen und in Streifen schneiden.

6. 2 EL Öl in einer breiten Pfanne oder im Wok bei großer Hitze erwärmen.

7. Shrimps darin kurz unter Rühren anbraten und wieder herausnehmen.

8. Sesamöl im Wok bei mittlerer Hitze erwärmen.

9. Frühlingszwiebeln, Pilze, Sprossen, Ingwer, Chili und Knoblauch darin anbraten.

10. Surimi, Shrimps, Erbsen und gegarten Reis zufügen und unter Rühren erhitzen.

11. Reiswein und Sojasauce verrühren und in die Reis-pfanne geben.

12. Omelettstreifen unter-mischen und den Reis mit Korianderblättern garnieren.

8. **Rezeptvariation** Kanton-Reis mit Hähnchenfleisch

Zubereitung

1. Statt der Shrimps 240 g Hähnchenbrustfilet in sehr feine Streifen schneiden. 1 Eiweiß (Größe M) zu steifem Schnee schlagen, 2 TL Speisestärke und 1 EL Sojasauce untermischen.

Die Fleischstreifen durch den Eischnee ziehen.

2. In einer Pfanne oder im Wok 3 cm hoch Erdnussöl erhitzen. Das Fleisch darin knusprig braten, herausnehmen und warm halten.

3. Restliche Zutaten wie im Rezept beschrieben zubereiten, das Hähnchenfleisch zum Schluss untermischen.

9. **Küchentipp · Bei Tisch**

Die Chinesen würzen ihren Kanton-Reis eigentlich mit dunkler Sojasauce. Wir haben die helle Sauce gewählt, weil sie die Reispfanne nicht verfärbt.

Falls Sie im Asienladen frische Bambussprossen sehen, greifen Sie zu: Frisch schmecken die Sprossen ungleich besser als aus der Dose. Allerdings darf man sie auf keinen Fall roh essen, sondern muss sie vor der Verwendung immer schälen und kochen.

Den Kanton-Reis nach Belieben auf Bananenblättern anrichten und mit Frühlingszwiebellocken (siehe Seite 31) garnieren.

10. **Wenn etwas übrig bleibt**

Aufbewahren

Der Kanton-Reis hält sich gut abgedeckt 1 bis 2 Tage im Kühlschrank. Bei Bedarf ca. 2 EL Öl in einer breiten

Pfanne oder im Wok erhitzen und den Reis darin unter Rühren wieder erwärmen. Der restliche

Kanton-Reis eignet sich auch sehr gut als Einlage für klare Brühen.

Gemüse mit Tofu
▪ China ▪

1. Einkauf

Shiitake-Pilze

Wenn Sie keine frischen Shiitake-Pilze bekommen, ca. 5 getrocknete Pilze mit 175 ml heißem Wasser überbrühen und 15 Minuten ziehen lassen. Die Pilze abgießen, dabei die Brühe auffangen. Die Hälfte der Gemüsebrühe im Rezept können Sie dann durch die Pilzbrühe ersetzen – das gibt ein würziges Aroma. Die Pilze hacken. Von den Egerlingen und Austernpilzen dann je ca. 150 g nehmen.

Tofu

Den schnittfesten Sojaquark gibt es in Wasserlake eingelegt im Asienladen und in gut sortierten Supermärkten. Aus ökologisch kontrolliertem Anbau erhalten Sie Tofu im Reformhaus.

Currypaste

Spezielle Würzpaste mit Chili, Ingwer, Knoblauch und anderen Gewürzen aus der fernöstlichen Küche. Vorsicht: Die Paste ist sehr scharf, daher sollten Sie sie nur sparsam verwenden.

2. Zutaten

je 100 g Shiitake-Pilze, Austernpilze und Egerlinge

je 1 rote und gelbe Paprikaschote

300 g Chinakohl

100 g Wasserkastanien (aus der Dose)

150 g Tofu

1 Knoblauchzehe

½ TL rote Currypaste

1 EL Reisessig

2–3 EL helle Sojasauce

Salz

2 EL Sesamöl

Erdnussöl zum Braten

1 TL Speisestärke

75 ml kalte Gemüsebrühe

ca. 5 EL Maismehl

3. Geräte

Messer

Schneidebrett

Küchensieb

Kleine Schüssel

Esslöffel

Breite Pfanne oder Wok

Kochlöffel

Teelöffel

Tiefer Teller

Pfanne

Pfannenwender

4. Zeit

Vorbereitung:
10 Minuten

Zubereitung:
30 Minuten

5. Nährwerte

pro Person

270 kcal, 1130 kJ,
10 g EW, 16 g F, 23 g KH

6. Vorbereitung

1. Pilze putzen.

2. Paprikaschoten putzen und waschen.

3. Chinakohl putzen und waschen.

4. Wasserkastanien abtropfen lassen und halbieren.

5. Tofu abtropfen lassen und in Streifen oder ½ cm dicke Scheiben schneiden.

6. Knoblauch schälen und hacken.

1. Currypaste mit 3 EL heißem Wasser glatt rühren. Essig, Sojasauce und Salz zufügen.

2. Den Tofu mit der Marinade beträufeln und ziehen lassen.

3. Inzwischen die Stiele der Shiitake-Pilze hacken, die Hüte halbieren.

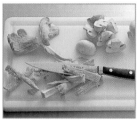

4. Die Austernpilze in Streifen schneiden, die Egerlinge halbieren.

5. Paprikaschoten in dünne, Chinakohl in breitere Streifen schneiden.

6. Sesamöl und 2 EL Erdnussöl in einer breiten Pfanne oder im Wok erhitzen.

7. Pilze bei mittlerer Hitze unter Rühren anbraten.

8. Chinakohl- und Paprikastreifen, Wasserkastanien und Knoblauch hinzufügen.

9. Gemüse etwa 2 Minuten dünsten.

10. Den Tofu in ein Sieb abgießen, dabei die Marinade auffangen.

11. Die Marinade mit der Speisestärke glatt rühren.

12. Gemüsebrühe und Tofumarinade in die Pfanne geben und kurz köcheln lassen.

7. Zubereitung Gemüse mit Tofu

13. Maismehl in einen tiefen Teller geben und den Tofu darin wenden.

14. Erdnussöl in einer zweiten Pfanne ca. ½ cm hoch bei mittlerer Hitze erwärmen.

15. Tofu auf beiden Seiten je 3 Minuten braten, auf Küchenpapier abtropfen lassen.

8. Rezeptvariation Tofu – gedünstet oder paniert

Zubereitung

Sie können die marinierten Tofustücke auch direkt unter die Gemüsepfanne mischen und miterhitzen.

Oder: Tofu ganz klassisch panieren – so wird die Kruste noch knuspriger. Dafür den marinierten Tofu erst in etwas Weizenmehl, dann in verquirltem Ei und schließlich in Maismehl wenden und braten.

9. Küchentipp · Bei Tisch

Wer es würziger mag, kann das Gericht auch mit dunkler Sojasauce zubereiten. Die mildere, helle Sauce hat den Vorteil, dass sie die Gemüsepfanne nicht so stark verfärbt.

Die Tofuscheiben auf dem Gemüse anrichten, mit Schnittknoblauchhalmen garnieren.

10. Wenn etwas übrig bleibt

Aufbewahren

Der Tofu schmeckt frisch gebraten am besten. Das China-Gemüse hält sich gut abgedeckt 2 Tage im Kühlschrank. Es eignet sich auch als Basis für eine Suppe: Das Gemüse einfach erhitzen und mit Gemüsebrühe auffüllen.

Gemüse-Tempura
▪ *Japan* ▪

1. Einkauf

Grüner Spargel

Grüner Spargel ist bei uns inzwischen schon fast das ganze Jahr über erhältlich. Sehr beliebt in Asien sind die bei uns als Thai-Spargel bekannten dünnen grünen Spargelstangen. Natürlich können Sie in der Saison auch weißen Spargel verwenden – die Stangen dann aber vorher schälen.

Papaya

Achten Sie beim Kauf darauf, dass die Papaya auf leichten Druck etwas nachgibt. Zu feste Früchte besitzen noch nicht das volle Aroma.

2. Zutaten

500 g grüner Spargel

200 g frische Shiitake-Pilze

1 rote Paprikaschote

1 rote Peperoni

40 g Frühlingszwiebeln

6 Schnittknoblauchstiele

1 Papaya (ca. 400 g)

3–4 EL helle Sojasauce

3–4 EL Limettensaft

1 Prise Zucker

150 g Mehl

1 gestr. TL Backpulver

1 Ei (Größe M)

1 EL dunkle Sojasauce

Erdnussöl zum Braten

3. Geräte

Litermaß

Plastikgefäß

Messer

Schneidebrett

Esslöffel

Kleine Schüssel

Kochlöffel

Rührschüssel

Gabel

Schneebesen

Breite Pfanne

Schaumkelle

4. Zeit

Vorbereitung:

20 Minuten

Zubereitung:

20 Minuten

5. Nährwerte

pro Person

473 kcal, 1980 kJ,
12 g EW, 28 g F, 45 g KH

6. Vorbereitung

1. 200 ml Wasser in einem Plastikgefäß für 20 Minuten ins Tiefkühlfach stellen.

2. Spargel waschen, die holzigen Enden entfernen und die Stangen in ca. 8 cm lange Stücke schneiden.

3. Shiitake-Pilze putzen.

4. Paprika putzen, waschen und in Streifen schneiden.

5. Peperoni längs halbieren, entkernen, waschen und hacken.

6. Frühlingszwiebeln putzen, waschen und in feine Ringe schneiden.

7. Schnittknoblauch waschen, trockenschütteln und hacken.

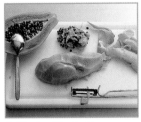

1. Für den Dip die Papaya längs halbieren, entkernen und schälen.

2. Das Fruchtfleisch klein würfeln, mit heller Sojasauce und Limettensaft mischen.

3. Peperoni, Frühlingszwiebeln, Schnittknoblauch und Zucker untermischen.

4. Den Backofen auf 75 °C vorheizen.

5. Mehl und Backpulver in einer Rührschüssel mischen.

6. Mit einer Gabel das Ei mit dem Eiswasser und der dunklen Sojasauce verquirlen.

7. Mehlmischung schnell darunter rühren – der Teig soll dünnflüssig sein.

8. Erdnussöl 2 cm hoch in einer Pfanne bei mittlerer Hitze erwärmen.

9. Das Gemüse durch den Teig ziehen und kurz abtropfen lassen.

10. Spargel, Pilze und Paprika portionsweise in das heiße Fett geben.

11. Gemüse in 5 Minuten rundum goldbraun braten.

12. Gemüse auf Küchenpapier abtropfen lassen und im Ofen warm halten.

8. Rezeptvariation Sesamdip

Zubereitung

1. Statt des Papayadips können Sie zu dem Gemüse auch einen Sesamdip servieren. Dafür 2 EL geschälte Sesamsamen in einer Pfanne ohne Fett goldbraun rösten, herausnehmen und mit 5 EL Sojasauce mischen.

2. 20 g Ingwer schälen und hacken. 1/2 rote Peperoni entkernen, waschen und ebenfalls hacken. Mit 1 EL Mirin (süßlicher Reiswein aus Japan, ersatzweise Amontillado-Sherry) und 2 EL Orangensaft unter die Sesamsauce mischen.

9. Küchentipp · Bei Tisch

Den Tempura-Teig rührt man am besten mit einer Gabel an, damit er nicht zäh wird.

Dabei dürfen ruhig kleine Klümpchen entstehen – das ist in Japan sogar typisch.

Wichtig ist nur, dass der Teig nicht lange steht und quellen kann.

Natürlich können Sie auch andere Gemüse, wie z. B. Brokkoli- und Blumenkohlröschen oder Möhren, verwenden, wobei Letztere vorher blanchiert werden sollten.

Ebenso sind Garnelen oder Tintenfischringe sehr gut geeignet.

Das Gemüse mit dem Papaya- bzw. dem Sesamdip servieren.

10. Wenn etwas übrig bleibt

Aufbewahren

Tempura schmeckt frisch aus der Pfanne am besten. Bei längerem Aufheben wird die Teighülle zäh. Der Papayadip hält sich ebenso wie der Sesamdip gut abgedeckt 1 bis 2 Tage im Kühlschrank.

Gefüllte Mandarin-Pfannkuchen
▪ *China* ▪

1. Einkauf

Öl

Nehmen Sie am besten geschmacksneutrales Öl, wie z. B. Sonnenblumenöl.

Alfalfasprossen

Die Sprossen werden meist lose oder in Frischhaltepackungen angeboten. Bei abgepackter Ware unbedingt darauf achten, dass die Plastikbeutel weder aufgebläht noch von innen beschlagen sind. Die Sprossen sollte man im Kühlschrank höchstens 2 Tage aufbewahren, da sie anfällig für Schimmel sind.

Hoisinsauce

Die relativ feste Sauce hat eine leicht süßlich-pikante Note. Sie bekommen sie im Asienladen. Ersatzweise kann man süße Sojasauce verwenden.

Scharfe Bohnenpaste

Die Paste aus schwarzen Bohnen, Soja, Chili und anderen Gewürzen gibt es im Asienladen.

2. Zutaten

Für die Mandarin-Pfannkuchen:

300 g Weizenmehl (Type 405)

ca. 6 TL Öl

Mehl zum Ausrollen

Für die Gemüsepfanne:

15 g Ingwer

2 Knoblauchzehen

250 g Möhren

200 g Frühlingszwiebeln

200 g Stangensellerie

120 g Mini-Maiskolben

30 g Alfalfasprossen

2 EL Sesamöl

1 EL Öl

2 EL Hoisinsauce

2 EL Austernsauce

4 EL helle Sojasauce

175 ml Gemüsebrühe

1 EL scharfe Bohnenpaste

3. Geräte

Küchensieb

Rührschüssel

Litermaß

Kochlöffel

Messer

Schneidebrett

Nudelholz

Pfanne

Breite Pfanne oder Wok

4. Zeit

Vorbereitung:

30 Minuten
Ruhezeit: 1 Stunde

Zubereitung:

35 Minuten

5. Nährwerte

pro Person

533 kcal, 2332 kJ,
14 g EW, 18 g F, 80 g KH

6. Vorbereitung

1. Pfannkuchenteig zubereiten (siehe Küchentipp Seite 123).

2. Ingwer und Knoblauch schälen, beides hacken.

3. Möhren schälen, Frühlingszwiebeln putzen und waschen. Beides in 5 cm lange Streifen schneiden.

4. Stangensellerie putzen und waschen. Die Stangen in Scheiben, das Grün für die Dekoration in Streifen schneiden.

5. Maiskolben und Alfalfasprossen in einem Sieb kalt abspülen und abtropfen lassen. Die Maiskolben längs halbieren.

1. Den Pfannkuchenteig kurz kneten und in 16 gleich große Stücke teilen.

2. Teigstücke mit bemehlten Handballen zu handflächengroßen Fladen flach drücken.

3. Jeden Teigfladen auf einer Seite mit Öl einstreichen.

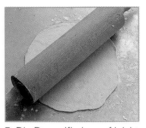

4. Je 2 Fladen mit der eingeölten Seite zusammensetzen.

5. Die Doppelfladen auf leicht bemehlter Arbeitsfläche rund ausrollen.

6. Eine Pfanne ohne Fett bei kleiner bis mittlerer Hitze erwärmen.

7. Fladen in der Pfanne nacheinander in etwa 2 Minuten backen.

8. Wenn der Fladen Blasen wirft und fast wie ein Luftkissen aufgeht, wenden.

9. Fladen 2 Minuten weiterbacken, herausnehmen und etwas abkühlen lassen.

10. Fladen jeweils am Rand an der Naht vorsichtig auseinanderziehen.

11. Die Fladen locker zusammenklappen und mit einem Geschirrhandtuch abdecken.

12. 2 EL Sesamöl und 1 EL Öl in einer Pfanne oder im Wok bei mittlerer Hitze erwärmen.

7. Zubereitung Gefüllte Mandarin-Pfannkuchen

13. Das Gemüse (bis auf die Sprossen) mit Knoblauch und Ingwer 3 Minuten dünsten.

14. Hoisin-, Austern-, Sojasauce, Brühe und Bohnenpaste kurz mitköcheln lassen.

15. Fladen jeweils mit Selleriegrünstreifen, etwas Gemüse und Sprossen aufrollen.

8. Rezeptvariation Raffinierte Füllungen

Zubereitung

Statt der Hoisinsauce kann man auch etwas Pflaumenmus mit dunkler Sojasauce verrühren und unter die Gemüsefüllung mischen. Anstelle der Bohnenpaste können Sie 2 entkernte Chilischoten mit dem Gemüse dünsten.

9. Küchentipp · Bei Tisch

Für den Pfannkuchenteig das Weizenmehl in eine Rührschüssel sieben und eine Mulde hineindrücken. 200 ml Wasser und 2 TL Öl mischen und nach und nach in die Mulde gießen, dabei mit einem Kochlöffel umrühren. Mit den Händen zu einem glatten Teig kneten und zu einer Kugel formen. Abdecken und 1 Stunde ruhen lassen. Dann wie ab Schritt 1 beschrieben weiterverarbeiten.

10. Wenn etwas übrig bleibt

Aufbewahren

Die Mandarin-Pfannkuchen halten sich locker zusammengeklappt in einem großen Gefrierbeutel 1 bis 2 Tage im Kühlschrank. Die Gemüsepfanne hält sich abgedeckt ebenfalls etwa 2 Tage im Kühlschrank. Die Pfannkuchen zusammengeklappt in einen Bambuskorb oder Siebeinsatz legen. Diesen in einen Topf mit etwas Wasser setzen oder hängen und die Pfannkuchen zugedeckt in 5 Minuten im Wasserdampf erwärmen.

Gemüsecurry

▪ Indien ▪

1. Einkauf

Grüne Bohnen

Die Bohnen sollten schön knackig sein. Ansonsten lieber tiefgekühlte Bohnen nehmen und noch gefroren mit dem restlichen Gemüse in das Curry geben.

Süßkartoffeln

Die großen Knollen, auch Bataten genannt, sind botanisch nicht mit der Kartoffel verwandt. Man unterscheidet zwischen weißen, roten, gelben und bräunlichen Sorten, die alle recht süßlich schmecken. Süßkartoffeln sind leicht verderblich – man bewahrt sie am besten in dunklen, trockenen Räumen auf.

Kreuzkümmel

Das Gewürz wird auch häufig als Cumin bezeichnet. Es schmeckt ähnlich wie Kümmel, aber etwas bitterer, mit einer leicht pfeffrigen Note. Sie bekommen es im Asienladen und in gut sortierten Supermärkten.

Vollmilchjoghurt

Der Joghurt sollte mindestens 3,5 % Fett haben. Besonders gut ist auch griechischer Joghurt mit 10 % Fett geeignet.

2. Zutaten

250 g grüne Bohnen

Salz

300 g Möhren

250 g Frühlingszwiebeln

3–4 rote Chilischoten

20 g Ingwer

½ Bund Koriander

500 g Süßkartoffeln

200 g fest kochende Kartoffeln

5 EL Öl

2 Msp. Kardamom

4 Msp. Kreuzkümmel

3 Msp. Kurkuma

3 Msp. Paprikapulver

2 Msp. Nelkenpulver

250 ml Kokosmilch

250 ml Gemüsebrühe

100 g Vollmilchjoghurt

3. Geräte

Messer

Topf

Küchensieb

Sparschäler

Schneidebrett

Esslöffel

Breiter Topf oder Wok

Kochlöffel

Litermaß

Kleine Schüssel

4. Zeit

Vorbereitung:

20 Minuten

Zubereitung:

30 Minuten

5. Nährwerte

pro Person

670 kcal, 2800 kJ,
11 g EW, 46 g F, 52 g KH

6. Vorbereitung

1. Bohnen putzen, waschen, schräg halbieren und in kochendem Salzwasser in etwa 7 Minuten bissfest garen. Bohnen abgießen, kalt abspülen und abtropfen lassen.

2. Möhren schälen.

3. Frühlingszwiebeln putzen und waschen. Das Zwiebelgrün in etwa 5 cm lange, dünne Streifen schneiden. Das Weiße hacken.

4. Chilischoten längs halbieren, entkernen, waschen und quer in feine Streifen schneiden.

5. Ingwer schälen und hacken.

6. Koriander waschen, trockenschütteln und die Blätter abzupfen.

1. Süßkartoffeln und Kartoffeln schälen, die Süßkartoffeln in Stücke schneiden.

2. Die Kartoffeln in kleine Würfel schneiden.

3. Möhren rundum längs dünn einritzen, dann quer in Scheiben schneiden.

4. 3 EL Öl in einem breiten Topf oder in einem Wok bei mittlerer Hitze erwärmen.

5. Gehackte Frühlingszwiebeln, Ingwer und Chili darin kurz andünsten.

6. Kardamom, Kreuzkümmel, Kurkuma, Paprika- und Nelkenpulver unterrühren.

7. Drei Viertel der Würzmischung aus dem Topf nehmen und beiseite stellen.

8. 2 EL Öl in den Topf geben. Kartoffelstücke und -würfel darin leicht anbraten.

9. Kokosmilch und Brühe angießen. Alles zugedeckt 7 Minuten köcheln lassen.

10. Möhren, Bohnen, Zwiebelgrün und die Würzmischung (bis auf 1 EL) hinzufügen.

11. Das Gemüsecurry etwa 3 Minuten weitergaren. Mit Salz abschmecken.

12. Joghurt glatt rühren und die restliche Würzmischung darauf geben.

8. Rezeptvariation Kichererbsencurry

Zubereitung

1. Statt der fest kochenden Kartoffeln 300 g Kichererbsen (vorgegart, aus der Dose) verwenden. Restliche Zutaten wie im Rezept beschrieben vor- und zubereiten.

2. Die Süßkartoffeln nur kurz anbraten und wieder aus dem Topf nehmen. Kokosmilch und Brühe angießen, die Kichererbsen hinzufügen und 10 Minuten zugedeckt köcheln lassen.

3. Die Süßkartoffeln hineingeben und etwa 6 Minuten weitergaren. Das restliche Gemüse hinzufügen und wie im Rezept beschrieben fertig garen.

9. Küchentipp · Bei Tisch

Joghurt wird in Indien zu vielen Gerichten serviert, da er den Speisen einen leicht säuerlichen Geschmack gibt und die Schärfe mildert. Ohne großen Aufwand können Sie Joghurt auch selbst machen: Einfach ¾ l Vollmilch kurz zum Kochen bringen und dann etwa 15 Minuten abkühlen lassen. 3 EL Vollmilchjoghurt mit einer Tasse lauwarmer Milch verrühren und unter die restliche Milch im Topf mischen. Den Topf zudecken und zunächst an einen warmen Ort und nach etwa 8 Stunden in den Kühlschrank stellen.

Das Gemüsecurry mit den Korianderblättern bestreuen und mit dem Joghurt servieren.

10. Wenn etwas übrig bleibt

Aufbewahren

Das Gemüsecurry hält sich gut abgedeckt 1 bis 2 Tage im Kühlschrank.

Gemüsesuppe

Das restliche Gemüsecurry in einem Topf erhitzen. Alles mit dem elektrischen Schneidestab fein pürieren, dabei etwas Kokosmilch und Gemüsebrühe angießen, bis die Suppe eine sämige Konsistenz hat. Noch einmal unter Rühren aufkochen und mit Koriander bestreut servieren. Nach Belieben den Joghurtdip unter die Suppe rühren.

Chili-Blumenkohl

▪ *Indonesien* ▪

1. Einkauf

Weiße Zwiebeln

Weiße Zwiebeln sind etwas milder und saftiger als die braunen Haushaltszwiebeln. Sie sollten beim Kauf fest und trocken sein.

Blumenkohl

Wir haben für dieses Rezept den herkömmlichen weißen Blumenkohl verwendet. Eine exotische Note bekommt das Gericht mit einem grünen oder violetten Blumenkohl. Beide Sorten bekommt man manchmal beim Gemüsehändler.

Kurkuma

Das Pulver der Gelbwurzel verleiht dem Gewürz-Klassiker aus Fernost, dem Currypulver, seine typische goldgelbe Farbe.

2. Zutaten

1 weiße Zwiebel (ca. 100 g)

4 rote Chilischoten

20 g Ingwer

4 Knoblauchzehen

250 g Lauch

1 Blumenkohl (ca. 800 g)

Salz

240 g Tomaten

4 EL Kokosöl

2 Msp. Kurkuma

¼ TL Garnelenpaste

3 EL helle Sojasauce

3 EL süße Sojasauce

3. Geräte

Messer

Schneidebrett

Schüssel

Großer Topf

Schaumkelle

Küchensieb

Esslöffel

Breite Pfanne oder Wok

Kochlöffel

Teelöffel

Litermaß

4. Zeit

Vorbereitung:
15 Minuten

Zubereitung:
15 Minuten

5. Nährwerte

pro Person

190 kcal, 790 kJ,
9 g EW, 11 g F, 13 g KH

6. Vorbereitung

1. Zwiebel schälen und in feine Würfel schneiden.

2. Chilischoten längs halbieren, entkernen, waschen und quer in feine Streifen schneiden.

3. Ingwer und Knoblauch schälen, beides hacken.

4. Lauch und Blumenkohl putzen und waschen.

5. Lauch in ca. 5 cm lange, dünne Streifen schneiden. Einige Streifen für die Dekoration in Eiswasser legen, sodass sie sich kingeln (siehe Seite 31).

1. Blumenkohl in Röschen teilen, größere Röschen längs halbieren.

2. Die Tomaten einritzen und kurz in kochendem Wasser überbrühen.

3. Tomaten herausnehmen. Blumenkohl in dem Wasser in 4 Minuten bissfest garen.

4. Tomaten häuten, entkernen und in Spalten oder Würfel schneiden.

5. Blumenkohl in ein großes Sieb abgießen, kalt abspülen und abtropfen lassen.

6. Kokosöl in einer breiten Pfanne oder im Wok bei mittlerer Hitze erwärmen.

7. Zwiebeln, Ingwer, Knoblauch und Chili darin kurz dünsten.

8. Kurkuma und zerriebene Garnelenpaste hinzufügen und kurz mitdünsten.

9. Blumenkohlröschen und Lauchstreifen dazugeben und 2 Minuten dünsten.

10. 200 ml Wasser mit der hellen und süßen Sojasauce mischen.

11. Saucenmischung in die Gemüsepfanne gießen und 2 Minuten köcheln lassen.

12. Tomaten hinzufügen und kurz erhitzen.

Zubereitung

1. Zu dem Chili-Blumenkohl passt sehr gut ein Joghurtdip. Dafür ca. 150 g Vollmilchjoghurt mit 2 durchgepressten Knoblauchzehen, 1 gehackten Peperoni und etwas Kreuzkümmel verrühren.

2. Etwas frisches Koriandergrün oder Petersilie untermischen. Mit Salz und Pfeffer abschmecken.

9. Küchentipp · Bei Tisch

Wenn Sie den Chili-Blumenkohl als Hauptgericht servieren möchten, reichen Sie ihn am besten mit dem Joghurtdip und etwas Reis. Der Blumenkohl passt aber auch gut als exotische Beilage zu Fleisch oder gegrilltem Fisch. Wenn Sie ihn als Beilage zubereiten möchten, die Zutatenmengen einfach halbieren.

Den Chili-Blumenkohl mit den Lauchlocken garniert servieren.

10. Wenn etwas übrig bleibt

Aufbewahren

Der Chili-Blumenkohl hält sich abgedeckt ca. 2 Tage im Kühlschrank. Sie können ihn zugedeckt bei kleiner bis mittlerer Hitze wieder erwärmen.

Blumenkohlpfanne

80 g chinesische Eiernudeln in einer Schüssel mit kochendem Wasser übergießen, 5 Minuten quellen lassen. In ein Sieb abgießen und abtropfen lassen.

Chili-Blumenkohl in einer breiten Pfanne oder im Wok erhitzen, eventuell etwas Sojasauce dazugeben. Nudeln untermischen und abschmecken.

Sushi

▪ Japan ▪

1. Einkauf

Sushi-Reis

Ideal für Sushi ist japanischer Rundkornreis, da er nach dem Kochen körnig und leicht klebrig ist. Ersatzweise kann man italienischen Risotto-Reis oder Milchreis verwenden.

Kombu

Die feste, dunkelgrüne Alge, die man in Japan gern zu Fisch- und Fleischgerichten isst, bekommen Sie im Asienladen. Getrocknet und gemahlen wird sie als Würzmittel verwendet.

Bonito-Flocken

Bonito-Flocken, die jeder Asienladen führt, werden von getrocknetem Thunfisch dünn abgeschabt.

Lachs- und Thunfischfilet

Der Fisch sollte absolut frisch sein. Frische Ware erkennt man daran, dass nach leichtem Hineindrücken keine Druckstelle mehr zu sehen ist. Der Fisch muss angenehm, leicht salzig riechen.

Nori-Blätter

Nori-Blätter aus getrocknetem Seetang sind im Gegensatz zu Kombu-Algen weich und biegsam.

2. Zutaten

500 g Sushi-Reis

80 g Salatgurke

3 EL Reisessig

25 g Zucker

Salz

1 kleines Stück Kombu

150 ml Sojasauce

1 EL Bonito-Flocken

150 g Lachsfilet

150 g Thunfischfilet

4 große Garnelen (vorgegart)

4–6 Nori-Blätter

2 TL Wasabi

50 g eingelegter Ingwer

3. Geräte

Küchensieb

Litermaß

Topf mit Deckel

Messer

Schneidebrett

Kleiner Topf

Esslöffel

Teelöffel

Große Schüssel

Bambusmatte für Sushi (aus dem Asienladen); ersatzweise Geschirrhandtuch, Stoffserviette oder extrastarke Alufolie

4. Zeit

Vorbereitung:

30 Minuten

Zubereitung:

45 Minuten

5. Nährwerte

pro Person

650 kcal, 2719 kJ, 28 g EW, 10 g F, 110 g KH

6. Vorbereitung

1. Sushi-Reis in einem Sieb so lange waschen, bis das Wasser klar ist. Reis kurz abtropfen lassen, dann mit ½ l Wasser in einem Topf aufkochen lassen und zugedeckt bei kleinster Hitze ca. 25 Minuten quellen lassen, dabei ein Handtuch zwischen Topf und Deckel klemmen.

2. Salatgurke längs halbieren, entkernen und der Länge nach in ca. 1 cm breite Streifen schneiden.

1. Essig, Zucker, 1 TL Salz und Kombu für die Reismarinade aufkochen und abseihen.

2. Für die Sushi-Sauce Sojasauce mit 50 ml Wasser und Bonito-Flocken aufkochen.

3. Die Sauce ebenfalls durch ein Sieb abgießen und abkühlen lassen.

4. Für Nigiri-Sushi von jedem Fischfilet 8 dünne Scheiben quer zur Faser schneiden.

5. Restliches Fischfilet für Nori-Maki-Sushi in dünne Streifen schneiden.

6. Garnelen auf der unteren Seite längs tief einschneiden und leicht flach drücken.

7. Reis in eine Schüssel umfüllen und die Reismarinade vorsichtig unterziehen.

8. Nori-Blatt auf die Bambusmatte legen, ½ cm Reis auf das untere Drittel verteilen.

9. In die Reismitte eine kleine Rille eindrücken und dünn mit Wasabi bestreichen.

10. Gurken- und Lachs- oder Thunfischstreifen in die Rille legen.

11. Nori-Blatt mithilfe der Matte möglichst fest aufrollen. Die Matte entfernen.

12. Rolle mit einem scharfen, nassen Messer in ca. 3 cm große Stücke schneiden.

7. Zubereitung Sushi

13. Für Nigiri-Sushi je 1 EL Reis zu kleinen Klößchen formen.

14. Fischfiletscheibe bzw. Garnele mit etwas Wasabi bestreichen.

15. Fischfilet bzw. Garnele mit der Wasabi-Seite auf den Reis legen und andrücken.

8. Rezeptvariation Sushi-Kreationen

Bei den würzigen Füllungen der Sushi-Rollen sind der Kreativität keine Grenzen gesetzt. Die Zutaten reichen von Pilzen über Salatblätter bis zu Fisch und Meeresfrüchten – man kann sie ganz nach Geschmack zusammenstellen. Die Japaner verwenden für Sushi immer frische Meeresfische: Makrele, Meerbrasse, Seebarsch, aber auch roher Tintenfisch sind sehr beliebt. Nicht ganz typisch, aber auch eine raffinierte Variante: Sushi statt mit rohem Fisch z. B. mit Räucherlachs zubereiten.

9. Küchentipp · Bei Tisch

Sushi-Reis muss unbedingt Zimmertemperatur haben: Ist er zu warm, wellen sich die Nori-Blätter, ist er zu kalt, klebt er nicht gut. Den Reis sollte man immer mit gut befeuchteten Händen verarbeiten. Am besten stellt man beim Formen der Sushi-Rollen eine kleine Schüssel mit Essig-Wasser dazu.

Die Sushi-Rollen dekorativ auf einer Platte anrichten und mit Sojasauce und dem eingelegten Ingwer servieren.

10. Wenn etwas übrig bleibt

Aufbewahren

Die Sushi-Rollen sollten immer frisch zubereitet werden. Wenn Sie sie einige Stunden vor dem Servieren vorbereiten, gut abgedeckt kalt stellen und 30 Minuten vor dem Servieren aus dem Kühlschrank nehmen.

Knusprige Fischstückchen
▪ *China* ▪

1. Einkauf

Ingwer

Die Gewürzknolle sollte beim Kauf fest und knackig sein. In ein feuchtes Tuch eingewickelt hält sich Ingwer 3 Wochen im Kühlschrank. Geschält und fein gehackt kann man ihn auch einfrieren.

Festes Fischfilet

Sie können z. B. Rotbarsch- oder Heilbuttfilet nehmen.

Reiswein

Der typische Reiswein in der chinesischen Küche ist der bernsteinfarbene Shaohxing.

Tomatenketchup

In China wird Ketchup sehr gern als Basis für Saucen verwendet. Ketchup gibt den Saucen ein leichtes Tomatenaroma und eine feine Süße.

2. Zutaten

120 g Lauch

30 g Ingwer

3 Knoblauchzehen

1 rote Peperoni

600 g festes Fischfilet

4 EL Reiswein

Salz

2 Eier (Größe M)

70 g Tapiokamehl (ersatzweise Speisestärke)

1 ½ EL Zucker

2 EL Reisessig

ca. 3 EL Sojasauce

Erdnussöl zum Frittieren

1–2 EL Tomatenketchup

ca. 150 ml Gemüsebrühe

3. Geräte

Messer

Schneidebrett

Esslöffel

Teelöffel

2 Rührschüsseln

Schneebesen

Breite Pfanne oder Wok

Pfannenwender

Kochlöffel

4. Zeit

Vorbereitung:
10 Minuten

Zubereitung:
25 Minuten

5. Nährwerte

pro Person

401 kcal, 1680 kJ, 33 g EW, 19 g F, 23 g KH

6. Vorbereitung

1. Lauch putzen, waschen und in kleine Würfel schneiden.

2. Ingwer und Knoblauch schälen, beides hacken.

3. Peperoni längs halbieren, entkernen, waschen und quer in feine Streifen schneiden.

1. Backofen auf 120 °C vorheizen.

2. Fischfilet in nicht zu breite Streifen schneiden.

3. Die Fischstreifen mit 1 EL Reiswein und ½ TL Salz vermischen.

4. Eier, Mehl, Zucker, 3 EL Reiswein, 1 EL Reisessig und ½ EL Sojasauce glatt rühren.

5. Fischstreifen durch den Teig ziehen und etwas abtropfen lassen.

6. In einer breiten Pfanne etwa 3 cm hoch Erdnussöl erhitzen.

7. Fischstreifen darin bei mittlerer Hitze in 3 Minuten rundum knusprig braten.

8. Fisch kurz auf Küchenpapier abtropfen lassen und im Backofen warm halten.

9. Öl bis auf einen dünnen Film abgießen und bei mittlerer Hitze wieder erwärmen.

10. Lauch, Ingwer, Knoblauch und Peperoni darin kurz andünsten.

11. Ketchup mit 1 EL Reisessig, 2–3 EL Sojasauce und der Gemüsebrühe verrühren.

12. Die Sauce in die Lauchpfanne geben und kurz köcheln lassen.

8. Rezeptvariation Scharfe Fischstückchen

Zubereitung

1. Den Teig wie im Rezept beschrieben mit 1 TL Chilipulver anrühren. Fischfiletstreifen durch den Teig ziehen und knusprig braten.

2. Ca. 80 ml Sojasauce mit 15 g gehacktem Ingwer verrühren. 2 EL Sesamsamen in einer Pfanne ohne Fett goldbraun rösten und hinzufügen.

3. Aus Bananenblättern kleine Schalen formen und die Fischstückchen darin servieren. Dazu etwas Sojasauce reichen.

9. Küchentipp · Bei Tisch

Die Fischstreifen zieht man am besten mit einer Gabel durch den Teig – so kann der überschüssige Teig gut abtropfen. Das Öl muss sehr heiß sein, da die Fischstücke sonst leicht am Pfannenboden kleben bleiben. Um zu testen, ob das Öl die ideale Temperatur hat, einfach einen Teigtropfen hineingeben – er muss zischend an der Oberfläche schwimmen.

Die Fischstückchen mit der Lauchsauce servieren und nach Belieben mit Thai-Basilikum garnieren. Besonders dekorativ, wenn Sie Gäste erwarten: Lauchgrün in Streifen schneiden und gitterförmig auf Tellern anordnen. Das Gemüse und den Fisch darauf anrichten.

10. Wenn etwas übrig bleibt

Aufbewahren

Die Fischstücke schmecken frisch gebraten am besten und eignen sich nicht zum Aufbewahren. Die Lauchsauce hält sich 2 Tage im Kühlschrank. Sie können sie auch zum Würzen asiatischer Fleischgerichte verwenden.

Gefüllte Garnelen

▪ China ▪

1. Einkauf

Möhren

Achten Sie beim Kauf darauf, dass die Möhren unversehrt sind und keine Flecken haben. Bundmöhren möglichst bald verbrauchen. Zum Lagern im Kühlschrank empfiehlt es sich, das Kraut abzuschneiden – es entzieht Feuchtigkeit.

Garnelen

Garnelen (auch Crevetten oder Prawns genannt) von guter Qualität gibt es in fast allen Supermärkten tiefgefroren zu kaufen. Sie können problemlos die gewünschte Menge entnehmen und den Rest wieder im Tiefkühlfach aufbewahren.

Sesamöl

Sesamöl bewahren Sie am besten im Kühlschrank auf, da es lichtempfindlich ist. Wenn es Schlieren bildet, ist dies kein Zeichen von schlechter Qualität. Ähnlich wie Olivenöl oder vor allem Kokosöl wird es bei kühleren Temperaturen leicht fest.

2. Zutaten

150 g Möhren

150 g Lauch

1 Knoblauchzehe

15 g Ingwer

1 Bund Koriander

16 Garnelen (tiefgefroren; mit Schale, ohne Kopf)

1 EL Sesamöl

ca. 60 ml Sojasauce

Erdnussöl zum Frittieren

2 EL Limettensaft

3. Geräte

Sparschäler

Messer

Schneidebrett

Küchenschere

Esslöffel

Kleiner Topf

Kochlöffel

Litermaß

Breite Pfanne

Schaumkelle

Pfannenwender

4. Zeit

Vorbereitung:

15 Minuten

Zubereitung:

35 Minuten

5. Nährwerte

pro Person

274 kcal, 1145 kJ, 23 g EW, 17 g F, 7 g KH

6. Vorbereitung

1. Möhren schälen.

2. Lauch putzen und waschen.

3. Möhren und Lauch längs in ca. 6 cm lange, dünne Streifen schneiden.

4. Knoblauch und Ingwer schälen, beides hacken.

5. Koriander waschen und trockenschütteln. Die Hälfte der Stiele etwas kürzen und beiseite legen. Von den restlichen Stielen die Blätter abzupfen und grob hacken.

1. Garnelenpanzer auf dem Rücken bis zur Schwanzflosse aufschneiden.

2. Panzer vorsichtig vom Fleisch lösen, aber nicht entfernen.

3. Garnelen waschen, dabei den Darm entfernen. Sorgfältig trockentupfen.

4. Garnelen auf dem Rücken der Länge nach ca. 2 cm tief einschneiden.

5. Jeweils 8 Gemüsestreifen in die Garnelen füllen, den Panzer darüber stülpen.

6. Restliche Gemüsestreifen fein würfeln.

7. Sesamöl erhitzen. Gemüsewürfel, Knoblauch und Ingwer darin kurz dünsten.

8. Sojasauce angießen und den gehackten Koriander untermischen.

9. Erdnussöl in einer Pfanne ca. 3 cm hoch bei mittlerer Hitze erwärmen.

10. Korianderstiele darin kurz frittieren, herausnehmen und abtropfen lassen.

11. Gefüllte Garnelen kurz mit der Nahtstelle nach oben in das heiße Fett geben.

12. Die Garnelen dann 5 Minuten rundum braten, mit Limettensaft beträufeln.

8. Rezeptvariation Chilisauce

Zubereitung

1. Sie können die gefüllten Garnelen auch mit einer pikanten Chilisauce servieren. Dafür je 1 rote und grüne Chilischote putzen, entkernen und fein hacken.

2. Chili mit 3 EL Sojaöl, 2 TL flüssigem Honig, 5 EL Sojasauce und 5 EL Gemüsebrühe verrühren. Nach Belieben 1 Knoblauchzehe dazupressen und die restlichen Gemüsestreifen (siehe Rezept) unterrühren. Die Sauce passt auch sehr gut zu Fisch-, Fleisch- und Gemüsegerichten.

9. Küchentipp · Bei Tisch

Die frittierten Garnelen mit der Gemüsesauce und den Korianderstielen anrichten. Dazu die Sauce und nach Belieben Krupuk (ausgebackenes Krabbenbrot aus dem Asienladen) oder eine Schale Basmatireis servieren.

Köstlich schmecken die Garnelen auch mit frittierten Glasnudeln – und außerdem sieht es hübsch aus: 50 g trockene Glasnudeln einfach kurz in heißes Fett geben und abtropfen lassen. Die Nudeln gehen in Sekundenschnelle auf und werden weiß und knusprig.

10. Wenn etwas übrig bleibt

Aufbewahren

Die Garnelen schmecken frisch frittiert am besten. Die in der Schale frittierten Garnelen halten sich gut abgedeckt 1 Tag im Kühlschrank, bereits geschälte und gegarte Garnelen werden leicht trocken. Die Gemüsesauce hält sich 3 Tage im Kühlschrank; sie eignet sich auch zum Würzen von Nudelgerichten.

Tintenfisch mit Gemüse

▪ Thailand ▪

1. Einkauf

Tintenfischkörper

Tintenfischkörper werden auch Tintenfischtuben genannt. Am besten kaufen Sie Calamari. Sie haben relativ lange, schlanke Körper und benötigen im Gegensatz zum Oktopus (Krake) nur kurze Zeit zum Garen. Frisch oder tiefgefroren gibt es sie küchenfertig beim Fischhändler.

Knoblauch

Frischen Knoblauch erkennt man an seinen festen, grünen Trieben. Besonders saftig und aromatisch sind Knollen mit rosafarbener Haut. Im Kühlschrank kann man frischen Knoblauch ca. 2 Wochen aufbewahren.

Thai-Basilikum

Das relativ großblättrige Kraut, das man im Asienladen bekommt, hat eine feine Schärfe mit einem Hauch von Minze.

Öl

Für dieses Rezept können Sie z. B. Erdnussöl oder auch Sonnenblumenöl verwenden.

2. Zutaten

500 g Tintenfischkörper

150 g Zuckerschoten

1 gelbe Paprikaschote

250 g Salatgurke

2 rote Peperoni

4 Knoblauchzehen

1 Bund Thai-Basilikum

100 g Sojabohnensprossen

5 EL Öl

ca. 4 EL Limettensaft

ca. 4 EL helle Sojasauce

3. Geräte

Messer

Schneidebrett

Küchensieb

Wasserkessel oder -kocher

Esslöffel

Breite Pfanne oder Wok

Pfannenwender

Schüssel

4. Zeit

Vorbereitung:

20 Minuten

Zubereitung:

20 Minuten

5. Nährwerte

pro Person

295 kcal, 1236 kJ,
26 g EW, 14 g F, 15 g KH

6. Vorbereitung

1. Die Tintenfischkörper innen und außen gründlich waschen und sorgfältig trockentupfen.

2. Zuckerschoten putzen und waschen.

3. Paprika putzen, waschen und längs in dünne Streifen schneiden.

4. Gurke waschen, längs halbieren und entkernen. Das Fruchtfleisch in dünne Streifen schneiden.

5. Peperoni längs halbieren, entkernen, waschen und quer in Streifen schneiden.

6. Knoblauch schälen und hacken.

7. Thai-Basilikum waschen, trockenschütteln und die Blätter abzupfen. Einige Blätter für die Dekoration beiseite legen.

▶▶▶

1. Tintenfischkörper jeweils rundum längs und quer leicht einschneiden.

2. Die Körper in ca. 3 x 4 cm große Stücke schneiden.

3. Sojabohnensprossen mit kochendem Wasser überbrühen und abtropfen lassen.

4. 3 EL Öl in einer breiten Pfanne oder im Wok bei großer Hitze erwärmen.

5. Tintenfischstücke darin rundum anbraten.

6. Peperoni und Knoblauch hinzufügen und unter Rühren ca. 5 Minuten braten.

7. Limettensaft und helle Sojasauce angießen. Herausnehmen und warm halten.

8. 2 EL Öl im Wok oder in der Pfanne bei mittlerer Hitze erwärmen.

9. Zuckerschoten und Paprikastreifen darin unter Rühren kurz andünsten.

10. Gurkenstreifen und Sojabohnensprossen hinzufügen.

11. Die Tintenfischstücke mit dem Sud dazugeben.

12. Basilikum untermischen und alles nochmals kurz erhitzen.

8. Rezeptvariation Tintenfisch mit Zwiebeln

Zubereitung

1. Tintenfischkörper, Knoblauchzehen und Peperoni wie im Rezept beschrieben vorbereiten. 100 g Frühlingszwiebeln in feine Streifen schneiden. 250 g Tomaten überbrühen, häuten, entkernen und würfeln. 100 g Champignons putzen und halbieren.

2. Tintenfischstücke mit Knoblauch und Peperoni in 3 EL Öl braten, mit Limettensaft und ca. 3 EL Fischsauce ablöschen und aus der Pfanne nehmen.

3. 2 EL Öl erhitzen, Frühlingszwiebeln und Pilze darin kurz anbraten.

Tomaten und Tintenfisch mit dem Sud wieder dazugeben. Einmal aufkochen lassen und mit reichlich frischem Koriandergrün anrichten.

9. Küchentipp · Bei Tisch

Calamari dürfen nur kurz gebraten werden, sonst werden sie zäh. Alternativ können Sie die Calamari in etwas Flüssigkeit (z. B. Weißwein) mindestens 30 Minuten zugedeckt schmoren, bis sie weich werden. Sie können die Tintenfischstücke auch vorher in etwas Limettensaft, Sojasauce und gepresstem Knoblauch marinieren – so bekommen sie ein besonders intensives Aroma.

Den Tintenfisch auf dem Gemüse anrichten und mit Thai-Basilikum garnieren.

10. Wenn etwas übrig bleibt

Aufbewahren

Der gebratene Tintenfisch mit dem Gemüse hält sich gut abgedeckt 1 Tag im Kühlschrank. Die gewaschenen Tintenfischkörper kann man luftdicht verpacken und in das Tiefkühlfach legen.

Fisch in Zwiebelsauce

▪ Indien ▪

1. Einkauf

Zwiebeln

Am besten kaufen Sie relativ kleine Zwiebeln – dann sind die Spalten kleiner und feiner.

Tomaten

Da die Tomaten für dieses Rezept gehäutet werden, sollten sie zwar reif, aber nicht zu weich sein. Ideal sind Strauchtomaten. Tomaten nicht im Kühlschrank lagern, dort verlieren sie ihr Aroma.

Lorbeerblätter

Versuchen Sie frische Lorbeerblätter zu bekommen. Sie sind recht würzig, schmecken aber nicht so bitter wie getrocknete.

Safran

Sie können sowohl gemahlenen Safran als auch Safranfäden verwenden. Das teuerste Gewürz der Welt wird in kleinen Döschen oder abgepackt in Tütchen angeboten und gibt Gerichten eine goldgelbe Farbe und ein feines Aroma.

2. Zutaten

450 g Zwiebeln
450 g Tomaten
2 rote Chilischoten
25 g Ingwer
4 Knoblauchzehen
2 Lorbeerblätter
4 EL Öl
1 TL Kreuzkümmel
2 Döschen Safran
150 g Sahnejoghurt (10 % Fett)
ca. 2 EL Weißweinessig
Salz
4 Schellfischkoteletts (à ca. 200 g)
Pfeffer

3. Geräte

Messer
Schneidebrett
Wasserkessel oder -kocher
Esslöffel
Breite Pfanne mit Deckel
Kochlöffel
Teelöffel
Kleine Schüssel
Litermaß
Pfannenwender

4. Zeit

Vorbereitung:
15 Minuten

Zubereitung:
25 Minuten

5. Nährwerte

pro Person
350 kcal, 1467 kJ,
40 g EW, 15 g F, 12 g KH

6. Vorbereitung

1. Zwiebeln schälen und in dünne Spalten schneiden.
2. Tomaten überbrühen, häuten, entkernen und würfeln.
3. Chilischoten längs halbieren, entkernen, waschen und quer in feine Streifen schneiden.
4. Ingwer und Knoblauch schälen, beides hacken.
5. Lorbeerblätter waschen und trockentupfen.

1. 2 EL Öl in einer breiten Pfanne bei mittlerer Hitze erwärmen.

2. Je die Hälfte des gehackten Knoblauchs, des Ingwers und der Chilischoten dünsten.

3. ½ TL Kreuzkümmel und 1 Döschen Safran hinzufügen und kurz erwärmen.

4. Die Würzmasse mit dem Joghurt verrühren und beiseite stellen.

5. Nochmals 2 EL Öl in der Pfanne bei kleiner bis mittlerer Hitze erwärmen.

6. Restlichen Knoblauch, Chili, Ingwer, Safran, Kreuzkümmel und Lorbeerblätter anbraten.

7. Zwiebelspalten hinzufügen und unter Rühren 5 Minuten dünsten.

8. 200 ml Wasser, ca. 2 EL Essig und etwas Salz hinzufügen und aufkochen lassen.

9. Fischkoteletts rundum salzen und in die Zwiebelsauce legen.

10. Fisch zugedeckt in etwa 10 Minuten garen.

11. Tomatenwürfel dazugeben. Alles aufkochen lassen, mit Salz und Pfeffer würzen.

12. Die Sauce auf Teller verteilen und die Fischkoteletts darauf anrichten.

Zubereitung

1. 150 g Weizenmehl in eine Schüssel geben. Nach und nach ca. 60 ml kaltes Wasser unterrühren, dann mit den Händen zu einem glatten, geschmeidigen Teig kneten und abgedeckt 30 Minuten ruhen lassen.

2. Teig kurz durchkneten und in vier gleich große Stücke teilen. Mit leicht bemehlten Händen zu dünnen Fladen formen und jeweils in etwas heißem Butterschmalz ca. 4 Minuten backen, dabei einmal wenden. Die Fladen kurz auf Küchenpapier abtropfen lassen und im Ofen warm halten, bis alle gebacken sind.

9. Küchentipp · Bei Tisch

In Indien verwendet man zum Braten fast immer Ghee, eine Art geklärte Butter. Neben reinem Ghee aus Butter (Usli Ghee) kennt man auch pflanzliches Ghee, das aus verschiedenen Pflanzenfetten hergestellt wird und daher nicht ganz so fein, aber billiger ist. Ghee können Sie in indischen Lebensmittelläden kaufen – neben Öl ist Butterschmalz ein guter Ersatz. Falls Sie mit Ghee braten oder frittieren wollen, achten Sie darauf, dass der Topf trocken ist, da das Ghee sonst spritzt.

Die Fischkoteletts mit dem Joghurtdip und mit Reis oder Chapati-Broten als Beilage servieren.

10. Wenn etwas übrig bleibt

Aufbewahren

Der gegarte Fisch hält sich gut abgedeckt 1 Tag im Kühlschrank. Die Zwiebelsauce passt auch sehr gut zu Fleischgerichten, z. B. zu knusprig gebratenen Hähnchenkeulen oder zu Rindfleisch.

Teriyaki-Fisch im Bananenblatt

▪ Japan ▪

1. Einkauf

Festes Fischfilet

Für dieses Rezept können Sie z. B. Heilbutt-, Schwertfisch-, Lachs- oder auch Thunfischfilet nehmen.

Bananenblätter

Im Asienladen bekommen Sie frische Bananenblätter in Tüten verpackt; sie werden häufig aber auch tiefgekühlt angeboten. Dann die Blätter einfach aus der Folie nehmen und bei Raumtemperatur auftauen lassen – das dauert nur etwa 10 Minuten.

2. Zutaten

240 g Frühlingszwiebeln
300 g Möhren
ca. 30 g Zucker
1 rote Peperoni
2 Knoblauchzehen
20 g Ingwer
5 EL Sojasauce
4 EL Sherry (trocken)
4 EL Öl
600 g festes Fischfilet
1 Packung Bananenblätter

3. Geräte

Messer
Schneidebrett
2 kleine Schüsseln
Esslöffel
Kochlöffel
Küchenschere
Küchensieb

4. Zeit

Vorbereitung:
15 Minuten

Zubereitung:
45 Minuten
reine Garzeit: 30 Minuten

5. Nährwerte

pro Person
283 kcal, 1186 kJ,
25 g EW, 11 g F, 18 g KH

6. Vorbereitung

1. Frühlingszwiebeln putzen und waschen. 1 Zwiebel schräg in feine Ringe schneiden, den Rest längs in ca. 5 cm lange, dünne Streifen schneiden.

2. Möhren schälen, ebenfalls in ca. 5 cm lange, dünne Streifen schneiden. Mit 1 TL Zucker in einer Schüssel mischen, ziehen lassen.

3. Peperoni längs halbieren, entkernen, waschen und fein hacken.

4. Knoblauch und Ingwer schälen, beides hacken.

1. Sojasauce, Sherry, Öl, Peperoni, Ingwer, Knoblauch und 25 g Zucker verrühren.

2. Fischfilets vierteln und in einer Schüssel mit der Marinade mischen.

3. Fisch in der Marinade mindestens 30 Minuten ziehen lassen, dabei einmal wenden.

4. Bananenblätter in 4 Quadrate (30 x 30 cm) und 4 Streifen (15 x 30 cm) schneiden.

5. Die Blätter erst mit einem nassen, dann mit einem trockenen Tuch abwischen.

6. Backofen auf 200 °C vorheizen.

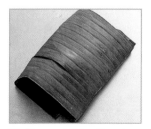

7. Möhren in einem Sieb mit kaltem Wasser abspülen und abtropfen lassen.

8. In die Mitte der großen Bananenblätter Zwiebel- und Möhrenstreifen geben.

9. Marinierte Fischfilets darauf legen und jeweils mit ca. 1 EL Marinade beträufeln.

10. Bananenblätter über der Füllung zusammenklappen.

11. Mit Bananenblattstreifen so umwickeln, dass die Blattnahtseite nach unten zeigt.

12. Päckchen auf das Backblech legen, auf der mittleren Schiene 30 Minuten backen.

8. Rezeptvariation Gebackener Teriyaki-Fisch

Zubereitung

1. Sie können den Teriyaki-Fisch auch ohne Bananenblätter zubereiten. Dafür den Fisch wie im Rezept beschrieben marinieren.

2. Das Gemüse zubereiten und in kleinen Häufchen auf ein leicht geöltes Backblech setzen. Die Fischstücke darauf legen und mit etwas Marinade beträufeln.

3. Fisch und Gemüse im heißen Ofen bei 200 °C oder unter dem Backofengrill auf der mittleren Schiene in ca. 15 Minuten garen.

9. Küchentipp · Bei Tisch

Die Möhrenstreifen werden gezuckert, damit sie auch gar noch schön knackig sind.

Für die Marinade verwenden Sie am besten helle Sojasauce, damit der Fisch seine Farbe behält. Dann müssen Sie die Marinade eventuell noch etwas nachsalzen.

Fans der Küche aus Fernost können die Teriyaki-Marinade gleich in der doppelten Menge zubereiten und in ein Glas mit Schraubdeckel füllen. Die Sauce hält sich mehrere Tage im Kühlschrank und ist ideal zum Abschmecken von vielen asiatischen Gerichten.

10. Wenn etwas übrig bleibt

Aufbewahren

Sie können den Fisch auch schon am Vortag marinieren, dann bekommt er ein besonders intensives Aroma. Der gegarte Fisch hält sich gut abgedeckt 1 Tag im Kühlschrank. Am besten im heißen Backofen wieder erwärmen.

Muscheln thailändische Art

▪ *Thailand* ▪

1. Einkauf

Limette

Da Sie für dieses Rezept auch die Limettenschale benötigen, unbedingt eine unbehandelte Frucht kaufen. Ersatzweise eine unbehandelte Zitrone nehmen.

Thai-Basilikum

Thai-Basilikum wird im Asienladen oft in kleinen Plastiktüten verpackt angeboten. Am besten bewahren Sie es in der Tüte im Kühlschrank auf. So bleibt es 2 bis 3 Tage frisch.

Venusmuscheln

Muscheln sollten grundsätzlich am Tag des Einkaufs zubereitet werden. Am besten bestellen Sie sie beim Fischhändler vor. Venusmuscheln gibt es auch tiefgekühlt; die Muscheln zum Auftauen kurz in kochendes Wasser geben. Ersatzweise können Sie kleine Miesmuscheln verwenden.

2. Zutaten

15 g Ingwer
4 Knoblauchzehen
3 rote Chilischoten
1 Zwiebel
1 Limette
4 Thai-Basilikumstiele
10 g Tamarindenmus
2 kg Venusmuscheln
4 EL Öl
15 g Palmzucker
ca. 4 EL Fischsauce

3. Geräte

Messer
Schneidebrett
Zestenreißer
Zitruspresse
Kleine Schüssel
Esslöffel
Küchensieb
Litermaß
Küchenbürste
Breiter Topf oder
Wok mit Deckel
Kochlöffel

4. Zeit

Vorbereitung:
15 Minuten

Zubereitung:
30 Minuten

5. Nährwerte

pro Person

520 kcal, 2173 kJ,
57 g EW, 15 g F, 38 g KH

6. Vorbereitung

1. Ingwer und Knoblauch schälen, beides hacken.

2. Chilischoten längs halbieren, entkernen, waschen und klein schneiden.

3. Zwiebel schälen, erst längs halbieren, dann quer in feine Streifen schneiden.

4. Limette heiß waschen, trockenreiben und die Schale mit einem Zestenreißer in feinen Streifen abziehen. Limette halbieren, eine Hälfte auspressen, die andere in Spalten schneiden.

5. Thai-Basilikum waschen, trockenschütteln und die Blätter (bis auf einige für die Dekoration) in Streifen schneiden.

1. Das Tamarindenmus mit 5 EL warmem Wasser in einer Schüssel glatt rühren.

2. Den Tamarindensaft durch ein Sieb streichen.

3. Muscheln unter fließend kaltem Wasser abbürsten, geöffnete aussortieren.

4. Öl in einem breiten Topf oder im Wok bei mittlerer Hitze erwärmen.

5. Zwiebelstreifen darin unter Rühren glasig dünsten.

6. Ingwer, Knoblauch und Chili hinzufügen und etwa 2 Minuten mitdünsten.

7. Palmzucker zerreiben, hinzufügen und unter Rühren schmelzen lassen.

8. Die Muscheln unter das Würzöl mischen.

9. Tamarindensaft angießen, Fischsauce sowie Limetten-zesten und -saft hinzufügen.

10. Die Muscheln bei großer Hitze zugedeckt in 5 Minuten garen.

11. Muscheln, die sich nicht geöffnet haben, aussortieren.

12. Thai-Basilikum untermi-schen. Mit Kräutern und Limettenspalten anrichten.

Zubereitung

1. 500 g Muscheln wie beschrieben waschen. 10 g gehackten Ingwer, 3 gehackte Knoblauchzehen und 2 in feine Scheiben geschnittene rote Chilischoten in 4 EL Öl kurz anbraten. Die Muscheln hinzufügen. Mit Tamarindensaft und Fischsauce ablöschen und zugedeckt 5 Minuten köcheln lassen.

2. Gegarte Muscheln mit dem Sud in ein mit Küchenpapier ausgelegtes Sieb geben und abtropfen lassen, dabei den Sud auffangen. Das Muschelfleisch aus den Schalen lösen.

3. 2 EL Öl erhitzen und 1 in Streifen geschnittene Zwiebel andünsten. 10 g zerriebenen Palmzucker darin schmelzen lassen.

1 gehackte grüne Chilischote, 1 gehacktes Zitronenblatt und das Fruchtfleisch von 4 Tomaten hinzufügen.

4. Den Muschelsud angießen, mit Gemüsebrühe auf ¾ l Gesamtflüssigkeit auffüllen. Das Muschelfleisch hineingeben und wieder erhitzen, mit Koriander bestreuen.

9. Küchentipp · Bei Tisch

Wenn Sie keinen Zestenreißer haben, können Sie die Limettenschale auch mit einem scharfen Messer dünn abschälen und in feine Streifen schneiden.

Die geputzten Muscheln am besten für etwa 20 Minuten in kaltes Wasser legen – so können sie entsanden und Muscheln, die sich durch die Wärme nur kurz geöffnet haben, schließen sich wieder.

10. Wenn etwas übrig bleibt

Aufbewahren

Die gegarten Muscheln halten sich gut abgedeckt 1 Tag im Kühlschrank.

Sie können das Muschelfleisch auch herauslösen, mit frischem Koriander,

gehackter Schalotte und etwas Fischsauce mischen und als Salat servieren.

Fisch in Tomatensauce

▪ China ▪

1. Einkauf

Fischfilet

Für dieses Rezept eignen sich besonders gut Lachs-, Rotbarsch- oder Thunfischfilet.

Passierte Tomaten

Passierte Tomaten werden im Tetra-Pak angeboten und sind im Supermarkt erhältlich. Angebrochene Packungen können Sie etwa 3 Tage im Kühlschrank aufbewahren.

Erdnussöl

Erdnussöl ist ideal zum Anbraten bei hohen Temperaturen. Sie bekommen es im Asienladen und in gut sortierten Supermärkten.

2. Zutaten

100 g Palmenherzen (aus der Dose)

je 1 rote und gelbe Paprikaschote

3 Frühlingszwiebeln

20 g Ingwer

3 Knoblauchzehen

400 g Fischfilet

2 ½ TL Tapiokamehl (ersatzweise Speisestärke)

3 EL Reiswein

6 EL passierte Tomaten

1 EL brauner Zucker

2 EL Reisessig

1 EL helle Sojasauce

Erdnussöl zum Braten

Salz

3. Geräte

Küchensieb

Messer

Schneidebrett

2 kleine Schüsseln

Teelöffel

Esslöffel

Gabel

Breite Pfanne oder Wok

Pfannenwender

4. Zeit

Vorbereitung:
10 Minuten

Zubereitung:
25 Minuten

5. Nährwerte

pro Person

243 kcal, 1017 kJ,
21 g EW, 11 g F, 13 g KH

6. Vorbereitung

1. Palmenherzen in einem Sieb kalt abspülen, abtropfen lassen und in Scheiben schneiden.

2. Paprika putzen, waschen und in Rauten schneiden.

3. Frühlingszwiebeln putzen und waschen. Die untere Hälfte jeweils in ca. 3 cm lange Stücke schneiden, eventuell halbieren. Das restliche Zwiebelgrün schräg in Ringe schneiden.

4. Ingwer und Knoblauch schälen, beides hacken.

1. Den Fisch in Streifen (à ca. 2,5 x 4 cm) schneiden.

2. 2 TL Tapiokamehl mit 1 EL kaltem Wasser, etwas Salz und 1 EL Reiswein verrühren.

3. Fischstücke untermischen und kurz beiseite stellen.

4. Tomaten, Zucker, Essig und 2 EL Reiswein mit 4 EL kaltem Wasser verrühren.

5. ½ TL Tapiokamehl und die helle Sojasauce unterrühren.

6. In einer Pfanne oder im Wok ca. 2 cm hoch Öl bei großer Hitze erwärmen.

7. Die Fischstreifen darin portionsweise goldgelb braten, dabei vorsichtig wenden.

8. Fisch herausnehmen, auf Küchenpapier abtropfen lassen und warm halten.

9. Öl bis auf einen dünnen Film aus der Pfanne gießen, bei mittlerer Hitze erwärmen.

10. Paprika, Zwiebelstücke, Ingwer und Knoblauch unter Rühren 4 Minuten dünsten.

11. Palmenherzscheiben und die Sauce hinzufügen, alles 2 Minuten köcheln lassen.

12. Mit Salz abschmecken. Fischstreifen auf das Gemüse setzen und mitdünsten.

8. Rezeptvariation Gemischte Fische in Tomatensauce

Zubereitung

1. Statt des Fischfilets können Sie auch kleine Fische wie Sardinen oder geschälte Garnelen verwenden. Die Fische wie im Rezept beschrieben in dem Tapiokamehlteig wenden, in reichlich heißem Fett braten und im vorgeheizten Ofen (100 °C) warm halten.

2. Die Sauce wie beschrieben zubereiten, die Fische bzw. Garnelen und Reis dazu servieren. Mit Korianderblättchen garnieren.

9. Küchentipp · Bei Tisch

Mit einem Trick lässt sich lästiger Fischgeruch ganz leicht aus der Pfanne oder dem Wok entfernen: Einfach einige Teeblätter (es können bereits benutzte sein) mit Wasser hineingeben, kurz aufkochen und mehrere Stunden stehen lassen. Wenn man das Teewasser abgießt, ist der Geruch verschwunden.

Den Fisch mit den Zwiebelgrünringen bestreuen und nach Belieben mit Paprikastreifen garnieren. Dazu passt am besten Reis.

10. Wenn etwas übrig bleibt

Aufbewahren

Der Fisch in Tomatensauce hält sich gut abgedeckt 1 bis 2 Tage im Kühlschrank.

Tomatensuppe

Die Tomatensauce mit etwas Gemüsebrühe und passierten Tomaten verdünnen und mit 1 gehackten Chilischote aufkochen. Mit Salz kräftig abschmecken und nach Belieben Shrimps als Einlage darin erwärmen.

Fischcurry

▪ Indonesien ▪

1. Einkauf

Aubergine

Kaufen Sie möglichst schlanke Auberginen, da sie weniger Kerne haben. Reife Früchte geben auf leichten Druck nach. Harte Auberginen können Sie bei Zimmertemperatur nachreifen lassen.

Thai-Spargel

Die schlanken grünen Spargelstangen sind etwas kürzer als der herkömmliche grüne Spargel. Sie bekommen sie beim Gemüsehändler oder im Asienladen.

Tamarindenmus

Das eingeweichte Mark der Tamarindenschoten wird blockförmig gepresst und enthält noch die Kerne. Sie bekommen Tamarindenmus im Asienladen. Gut abgedeckt kann man es einige Monate im Kühlschrank aufbewahren.

Festes Fischfilet

Für dieses Rezept eignen sich besonders Rotbarsch und Seelachs. Heilbutt oder Seeteufel sind zwar teurer, aber auch feiner.

2. Zutaten

20 g Ingwer
2 Knoblauchzehen
2 Zitronengrasstangen
3–4 rote Chilischoten
1 Aubergine (ca. 300 g)
500 g Thai-Spargel
1 Limette
½ Bund Koriander
30 g Tamarindenmus
600 g festes Fischfilet
ca. 5 EL Kokosöl
½ TL Kurkuma
2 gestr. TL Garnelenpaste
500 ml Kokosmilch
Salz

3. Geräte

Messer
Schneidebrett
Zitruspresse
Litermaß
Schüssel
Küchensieb
Esslöffel
Breite Pfanne oder Wok mit Deckel
Kochlöffel
Teelöffel

4. Zeit

Vorbereitung:
10 Minuten

Zubereitung:
30 Minuten

5. Nährwerte

pro Person
834 kcal, 3492 kJ,
33 g EW, 71 g F, 18 g KH

6. Vorbereitung

1. Ingwer und Knoblauch schälen, beides hacken.

2. Die äußeren Blätter und die obere, trockene Hälfte der Zitronengrasstangen entfernen. Die untere Hälfte fein hacken.

3. Chilischoten längs halbieren, entkernen, waschen und quer in feine Streifen schneiden.

4. Aubergine und Thai-Spargel putzen und waschen.

5. Limette halbieren. Eine Hälfte auspressen, die andere für die Dekoration in Spalten schneiden.

6. Koriander waschen, trockenschütteln und die Stiele kürzen.

1. Tamarindenmus mit ¼ l warmem Wasser verrühren.

2. Aubergine der Länge nach vierteln und quer in Stücke schneiden.

3. Thai-Spargel mit einem schrägen Schnitt halbieren.

4. Fisch in mundgerechte Stücke schneiden.

5. Tamarindenmus durch ein Sieb streichen, dabei den Saft auffangen.

6. 3 EL Öl in einer Pfanne oder im Wok erhitzen.

7. Auberginenstücke darin bei großer Hitze anbraten.

8. 2 EL Öl dazugeben und auf mittlere Hitze zurückschalten.

9. Ingwer, Knoblauch, Chili, Kräuter, Kurkuma und Garnelenpaste unterrühren.

10. Kokosmilch, Tamarinden- und Limettensaft angießen und aufkochen lassen.

11. Thai-Spargel hinzufügen und wieder aufkochen lassen. Mit Salz abschmecken.

12. Fischstücke dazugeben und in etwa 5 Minuten zugedeckt gar ziehen lassen.

8. Rezeptvariation Helles Fischcurry

Zubereitung

1. Für ein helles Curry statt des Tamarindenmarks den Saft von ca. 1 Zitrone nehmen und ca. 250 ml Gemüsebrühe mit der Kokosmilch angießen.
2. Je 300 g Lachs- und Rotbarschfilet in Stücke schneiden und in der Sauce gar ziehen lassen. Übrige Zutaten wie im Rezept beschrieben zubereiten.

9. Küchentipp · Bei Tisch

Für den Vorrat oder wenn es ganz schnell gehen soll: Im Asienladen gibt es fertige, mitunter sogar hausgemachte Würzpasten für Fischcurry, die einfach in die Kokosmilch gerührt werden und der Sauce so das typische Aroma geben.
Falls Sie keinen Thai-Spargel bekommen, können Sie ihn durch grünen Spargel ersetzen.
Die Stangen dann jeweils einmal längs und quer halbieren.

Das Fischcurry mit den Korianderstielen und Limettenspalten garnieren.
Dazu passt Basmatireis.

10. Wenn etwas übrig bleibt

Aufbewahren

Das Fischcurry hält sich gut abgedeckt 1 bis 2 Tage im Kühlschrank. Aus dem restlichen Curry können Sie eine herzhaft-pikante Fischsuppe zubereiten – einfach aufkochen und etwas Kokosmilch und Gemüsebrühe angießen. Mit Korianderblättchen garnieren und mit Krupuk (Krabbenbrot) servieren.

Lachsplätzchen

▪ Thailand ▪

1. Einkauf

Zitronenblätter

Die Blätter der Kaffir-Zitrone haben ein herbes Aroma mit leicht säuerlicher Note. Ersatzweise können Sie Zitronenmelisse verwenden.

Rote Currypaste

Im Asienladen wird neben roter auch gelbe und grüne Currypaste angeboten. In einem gut verschließbaren Gefäß halten sich die Pasten etwa 1 Jahr im Kühlschrank. Vorsicht beim Dosieren: Die Pasten sind höllisch scharf – also immer sparsam verwenden.

Erdnüsse

Ideal für dieses Rezept sind fettarm geröstete Nüsse. Gesalzene Nüsse mit Küchenpapier abreiben.

2. Zutaten

4 Frühlingszwiebeln

2 Zitronenblätter

250 g Salatgurke

Salz

1 kleine Zwiebel

½ Bund Koriander

1 rote Peperoni

1 EL rote Currypaste

3 EL Fischsauce

2 TL Palmzucker

500 g Lachsfilet

30 g Erdnüsse

Erdnussöl zum Braten

3 EL Reisessig

einige Limetten- oder Kaffir-Zitronenspalten

3. Geräte

Messer

Schneidebrett

Esslöffel

2 kleine Schüsseln

Kochlöffel

Kleiner Topf

Blitzhacker

Küchensieb

Breite Pfanne

4. Zeit

Vorbereitung:

15 Minuten

Zubereitung:

25 Minuten

5. Nährwerte

pro Person

325 kcal, 1358 kJ,
26 g EW, 22 g F, 6 g KH

6. Vorbereitung

1. Frühlingszwiebeln putzen und waschen. Das Grün von 2 Zwiebeln längs in Streifen, den Rest in Ringe schneiden.

2. Zitronenblätter waschen und trockentupfen.

3. Salatgurke längs halbieren, entkernen und würfeln. Mit etwas Salz mischen, ziehen lassen.

4. Zwiebel schälen, erst längs halbieren, dann quer in dünne Streifen schneiden. Ebenfalls mit Salz mischen und ziehen lassen.

5. Koriander waschen, trockenschütteln und die Blätter klein schneiden.

6. Peperoni längs halbieren, entkernen, waschen und quer in feine Streifen schneiden.

1. Currypaste mit der Fischsauce leicht erwärmen, bis
die Paste sich aufgelöst hat.

2. Die Zitronenblätter fein
hacken und den Palmzucker
zerreiben.

3. Lachs erst klein schneiden, dann im Blitzhacker fein
pürieren.

4. Lachs mit Frühlingszwie-
belringen und gehackten
Zitronenblättern vermischen.

5. Palmzucker und aufgelöste
Currypaste unterkneten, kurz
ruhen lassen.

6. Inzwischen Gurken und
Zwiebelstreifen kalt abspülen
und abtropfen lassen.

7. Erdnüsse im Blitzhacker
fein mahlen.

8. Nüsse, Gurken, Zwiebeln,
Koriander und Peperoni mit
dem Reisessig mischen.

9. Aus der Fischmasse etwa
16 pflaumengroße Plätzchen
formen.

10. In einer breiten Pfanne
2 cm hoch Öl bei großer
Hitze erwärmen.

11. Die Lachsplätzchen darin
etwa 5 Minuten braten, dabei
einmal wenden.

12. Lachsplätzchen vor dem
Servieren kurz auf Küchenpapier abtropfen lassen.

8. Rezeptvariation Fischbällchen

Zubereitung

1. Statt Lachsfilet Rotbarschfilet verwenden und wie im Rezept beschrieben pürieren.

Je nach Festigkeit der Fischmasse eventuell 1 EL Tapiokamehl oder Speisestärke unterkneten.

2. Fischmasse zu Bällchen formen und in reichlich heißem Fett schwimmend frittieren. Mit dem Gurkendip sofort servieren.

9. Küchentipp · Bei Tisch

Sie können die Lachsplätzchen auch als Vorspeise servieren. Die angegebene Menge reicht dann für 6 bis 8 Personen. Kombiniert mit z.B. Saté-Spießchen (siehe Rezept Seite 48) und Frühlingsrollen (siehe Rezept Seite 40) können Sie sich eine asiatische Vorspeisenplatte ganz nach Wunsch zusammenstellen.

Die Lachsplätzchen mit den Frühlingszwiebelstreifen und den Limetten- bzw. Zitronenspalten anrichten und mit dem Gurkendip servieren.

10. Wenn etwas übrig bleibt

Aufbewahren

Die Lachsplätzchen schmecken frisch aus der Pfanne am besten. Gut abgedeckt halten sie sich 1 Tag im Kühlschrank. Zum Erwärmen auf das Backblech setzen und im heißen Ofen (ca. 180 °C) wieder erhitzen.

Den Gurkendip kann man gut abgedeckt 1 Tag im Kühlschrank aufbewahren.

Feuertopf
▪ China ▪

1. Einkauf

Zuckerschoten

Zuckerschoten, auch Kaiserschoten, Kefen oder Mangetout genannt, sind ein einheimisches Gemüse, das Sie ab März frisch kaufen können. Bei dieser Erbsenzüchtung isst man die zarten, fleischigen und leicht süßen Schoten mit, wohingegen es bei herkömmlichen Erbsen nur auf die Samen ankommt, die man aus den zähen Schoten pult.

Tahin

Die Sesampaste, die gesalzen und ungesalzen angeboten wird, bekommen Sie im Asienladen und im Reformhaus. Wenn die Paste zu alt ist, schmeckt sie ranzig und leicht bitter.

Sambal Oelek

Die Würzpaste aus Chilischoten und Gewürzen führt jeder gut sortierte Supermarkt. Sie sollten sie nur sparsam verwenden – sie ist sehr scharf.

2. Zutaten

400 g Rinderfilet

150 g Zuckerschoten

200 g Frühlingszwiebeln

250 g Möhren

250 g Chinakohl

200 g Shiitake-Pilze

10 g Ingwer

1 Knoblauchzehe

1 rote Chilischote

1 Bund Koriander

2 EL Tahin

2 EL Zitronensaft

ca. 1 EL helle Sojasauce

½ TL Sambal Oelek

2 EL Reiswein

ca. 75 ml dunkle Sojasauce

8 rohe Crevetten (in der Schale, ohne Kopf)

50 g Glasnudeln

ca. 2 l Gemüsebrühe

2 EL Sherry

3. Geräte

Messer

Schneidebrett

Esslöffel

3 Schüsseln

Schneebesen

Teelöffel

Küchenschere

Wasserkessel oder -kocher

Küchensieb

Feuertopf oder Fonduetopf

4. Zeit

Vorbereitung:

30 Minuten
Gefrierzeit: 1 Stunde

Zubereitung:

45 Minuten

5. Nährwert

pro Person

360 kcal, 1508 kJ,
42 g EW, 7 g F, 31 g KH

6. Vorbereitung

1. Rinderfilet in Klarsichtfolie verpacken und 1 Stunde in das Tiefkühlfach legen.

2. Zuckerschoten und Frühlingszwiebeln putzen und waschen.

3. Möhren schälen und schräg in feine Scheiben hobeln.

4. Chinakohl putzen, waschen und in breite Streifen schneiden.

5. Shiitake-Pilze putzen, größere Pilze halbieren.

6. Ingwer und Knoblauch schälen, beides hacken.

7. Chilischote längs halbieren, waschen und hacken.

8. Koriander waschen, trockenschütteln und die Hälfte der Blätter hacken.

1. 1 Frühlingzwiebel schräg in feine Ringe schneiden.

2. Übrige Zwiebeln in 4 cm lange Stücke schneiden und jeweils längs halbieren.

3. Für den Dip Tahin mit Zitronensaft, heller Sojasauce und etwas Wasser cremig rühren.

4. Knoblauch und Sambal Oelek unterrühren, den Dip mit Zwiebelringen bestreuen.

5. Für die Sauce Ingwer, Chili, gehackten Koriander, Reiswein und Sojasauce mischen.

6. Die Schale der Crevetten mit einer Schere am Rücken aufschneiden und entfernen.

7. Crevetten längs halbieren, kalt abspülen und den Darm entfernen.

8. Glasnudeln mit kochendem Wasser übergießen und 10 Minuten quellen lassen.

9. Nudeln abgießen, kalt abspülen, abtropfen lassen und in ein Schälchen füllen.

10. Das leicht angefrorene Rinderfilet in hauchdünne Scheiben schneiden.

11. Fleisch, Crevetten, Gemüse und restlichen Koriander auf einer Platte anrichten.

12. Brühe mit Sherry aufkochen und in den Feuertopf oder Fonduetopf füllen.

8. Rezeptvariation Feuertopf mit Geflügel

Zubereitung

1. Statt der Gemüsebrühe Hühnerbrühe verwenden und mit Sherry aufkochen. Eventuell mit etwas Sojasauce abschmecken.

Für einen kräftigen Feuertopf die Hälfte der Brühe durch den entsprechenden Fond ersetzen, hier also Geflügelfond.

2. Je 250 g Hähnchenbrust- und Putenfilet anfrieren und in dünne Scheiben schneiden. Die restlichen Zutaten wie im Rezept beschrieben vorbereiten.

9. Küchentipp · Bei Tisch

Die gewaschenen Crevettenschalen können Sie mit den Korianderstielen in der Brühe aufkochen und anschließend durch ein Sieb in den Feuertopf gießen. Möhren und Zuckerschoten eventuell kurz blanchieren, dann sind sie später am Tisch schneller gar.

Entweder wird ein Teil der Zutaten in der Brühe am Tisch gegart und jeder Gast fischt sich mit Stäbchen oder kleinen Drahtkörben (aus dem Asienladen) das Gewünschte heraus. Oder jeder Gast füllt sich seinen Korb nach Lust und Laune und lässt die Zutaten in der Brühe hängend garen. Dazu gibt es die Dips. Zum Abschluss wird die würzige Brühe mit den darin verbliebenen Zutaten in kleine Schälchen gefüllt und als Suppe serviert.

10. Wenn etwas übrig bleibt

Aufbewahren

Übrig gebliebene Crevetten und rohes Fleisch am besten in der Brühe garen. So halten sie sich 2 Tage im Kühlschrank. Das ungegarte Gemüse nach Belieben ebenfalls in der Brühe garen und den Feuertopf als Suppe servieren. Oder das Gemüse blanchieren und einfrieren. Die restliche Brühe am besten portionsweise in gefriertauglichen Gefäßen mit Deckel einfrieren und jeweils bei Bedarf auftauen – mit ihrem würzigen Aroma eignet sie sich ideal als Basis für Suppen und Saucen.

Peking-Ente

▪ China ▪

1. Einkauf

Honig

Wählen Sie einen möglichst cremigen und flüssigen Honig. Fest gewordener, kristallisierter Honig verflüssigt sich wieder, wenn Sie ihn im Wasserbad erwärmen.

Ingwer (gemahlen)

Für dieses Rezept ist gemahlener Ingwer frischem vorzuziehen, da er beim Garen nicht verbrennt.

Schwarze Bohnenpaste

Die scharfe Paste aus fermentierten schwarzen Bohnen gibt es im Asienladen. Falls Sie sie nicht bekommen, ersatzweise 2 Chilischoten entkernen, waschen, hacken und unter die Sauce rühren.

Hoisinsauce

Die dickflüssige Sauce aus Südchina wird u. a. aus Sojabohnen, Sesamöl und Essig hergestellt. Ersatzweise können Sie auch 1–2 EL Pflaumenmus mit etwas dunkler Sojasauce verrühren.

2. Zutaten

1 EL Honig

1 TL Ingwer (gemahlen)

Salz

2 Entenbrustfilets

300 g Weizenmehl (Type 405)

ca. 6 TL Öl

200 g Salatgurke

100 g Möhren

100 g Rettich

4 Frühlingszwiebeln

Mehl zum Ausrollen

Zucker

1 EL schwarze Bohnenpaste

2 EL Sesamöl

2 EL Hoisinsauce

3. Geräte

Esslöffel

Kleiner Topf

Küchenpinsel

Rührschüssel

Litermaß

Wasserkessel oder -kocher

Fettpfanne oder große, hitzefeste Form

Messer

Schneidebrett

Sparschäler

Nudelholz

Pfanne

Schneebesen

Küchensieb

4. Zeit

Vorbereitung:

20 Minuten
Ruhezeit: 5–12 Stunden

Zubereitung:

35 Minuten

5. Nährwert

pro Person

660 kcal, 2760 kJ,
46 g EW, 27 g F, 59 g KH

6. Vorbereitung

1. Honig, Ingwer und etwas Salz mit 2 EL Wasser in einem kleinen Topf verrühren und leicht erwärmen.

2. Entenbrustfilets auf der Hautseite mit der Honigmarinade mehrmals einstreichen. Filets einige Stunden (am besten über Nacht) abgedeckt im Kühlschrank ruhen lassen.

3. Aus Mehl, Öl und Wasser den Teig für die Mandarin-Pfannkuchen zubereiten (siehe Seite 123).

4. Gurke waschen, längs halbieren und entkernen.

5. Möhren und Rettich schälen.

6. Frühlingszwiebeln putzen und waschen.

1. Backofen auf 180 °C vorheizen.

2. Fettpfanne zu einem Viertel mit heißem Wasser füllen, auf den Ofenboden stellen.

3. Filets mit der Haut nach oben auf dem Backrost in den Ofen schieben.

4. Filets in 30 Minuten auf der mittleren Schiene rundum goldbraun braten.

5. Pfannkuchenteig in 16 Stücke teilen, zu handflächengroßen Fladen flach drücken.

6. Fladen auf einer Seite mit Öl einstreichen, je 2 Fladen aufeinander setzen.

7. Doppelfladen auf leicht bemehlter Arbeitsfläche rund ausrollen.

8. Fladen in der Pfanne bei kleiner bis mittlerer Hitze ca. 2 Minuten backen.

9. Fladen wenden. Wenn er Blasen wirft, ca. 1 Minute weiterbacken.

10. Fladen kurz abkühlen lassen und jeweils am Rand vorsichtig auseinander ziehen.

11. Die Fladen locker zusammenklappen und mit einem Geschirrhandtuch abdecken.

12. Filets aus dem Ofen nehmen, kurz ruhen lassen und in dünne Scheiben schneiden.

8. Zubereitung Gemüse und Sauce

  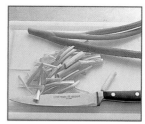

13. Gurke in Stifte schneiden, mit ½ TL Salz mischen und 10 Minuten ziehen lassen.

14. Möhren und Rettich in Streifen schneiden und mit 1 TL Zucker mischen.

15. Frühlingszwiebeln längs vierteln und in ca. 4 cm lange Stücke schneiden.

16. Bohnenpaste, Sesamöl, Hoisinsauce, 2 EL Zucker und 200 ml Wasser aufkochen.

17. Gurken, Möhren und Rettich in einem Sieb kalt abspülen und abtropfen lassen.

18. Pfannkuchen mit Fleisch, Gemüse und ½ EL Sauce füllen und zusammenklappen.

9. Küchentipp · Bei Tisch

Während die Entenbrust im Ofen gart, können Sie die Pfannkuchen backen, das Gemüse vorbereiten und die Sauce kochen. Für dieses Gericht wird in China natürlich eine ganze Ente verwendet. Zuerst füllt man nur die knusprige Haut mit dem Gemüse und etwas Sauce in die Pfannkuchen, anschließend das in dünne Scheiben aufgeschnittene Fleisch.

Das restliche Gemüse und die gefüllten Mandarin-Pfannkuchen auf Tellern anrichten und die Sauce in einem separaten Schälchen dazu servieren.

10. Wenn etwas übrig bleibt

Aufbewahren

Die gegarte, noch nicht aufgeschnittene Entenbrust hält sich 2 Tage im Kühlschrank. Bereits aufgeschnitten sollte man sie nur 1 Tag aufbewahren. Die Sauce hält sich gut abgedeckt 5 Tage im Kühlschrank. Die Pfannkuchen kann man in Gefrierbeuteln 2 Tage im Kühlschrank aufbewahren.

Rindfleisch mit Gemüseplatte
▪ Vietnam ▪

1. Einkauf

Blattsalat

Sie sollten einen Salat mit möglichst festen Blättern wählen, wie z. B. Romanasalat. Alternativ können Sie Chinakohl verwenden.

Minze

Inzwischen gibt es auch bei uns verschiedene Minzearten, z. B. rote, grüne, krause oder Ananas-Minze, wobei Letztere relativ mild ist und fruchtig duftet.

Zitronengras

Wenn Sie gefriergetrocknetes Zitronengras nehmen, sollten Sie es vor der Verwendung 20 Minuten in etwas warmem Wasser einweichen. Ersatzweise können Sie 1 EL unbehandelte Zitronen- oder Limettenschale nehmen.

Fischsauce

Die aromatische Würzsauce wird aus Fisch- und Krabbenkonzentrat hergestellt und ersetzt in der asiatischen Küche das Salz. Ihr Geschmack ist eher mild, weshalb man auch Fleisch- und Gemüsegerichte mit ihr würzen kann.

2. Zutaten

1 rote Chilischote

1 Zwiebel

3 Knoblauchzehen

400 g Salatgurke

Salz

4 Frühlingszwiebeln

1 kleiner Kopf Blattsalat

1 Bund Koriander

2 Minzestiele

½ Bund Basilikum

2 Zitronengrasstangen

1 EL Zucker

ca. 50 ml Fischsauce

3 EL Sesamöl

2 EL helle Sesamsamen

400 g Rinderfilet

30 g Sojabohnensprossen

3. Geräte

Messer

Schneidebrett

2 Schüsseln

Teelöffel

Salatschleuder

Blitzhacker

Esslöffel

Küchensieb

Wasserkessel oder -kocher

Kleine Schüssel

Küchenpinsel

Fleischgabel

4. Zeit

Vorbereitung:

15 Minuten

Zubereitung:

40 Minuten

5. Nährwert

pro Person

280 kcal, 1170 kJ,
25 g EW, 14 g F, 11 g KH

6. Vorbereitung

1. Chilischote längs halbieren, entkernen, waschen und klein schneiden.

2. Zwiebel schälen und hacken.

3. Knoblauch schälen und hacken.

4. Gurke längs halbieren, entkernen und in ca. 4 cm lange Streifen schneiden. Mit 1 TL Salz mischen und kurz ziehen lassen.

5. Frühlingszwiebeln putzen, waschen und in etwa 5 cm lange, dünne Streifen schneiden.

6. Salat in einzelne Blätter teilen, waschen und trockenschleudern.

7. Kräuter waschen, trockenschütteln und die Blätter abzupfen.

1. Vom Zitronengras die äußeren Blätter und die obere, trockene Hälfte entfernen.

2. Zitronengras waschen und sehr fein hacken.

3. Zitronengras, Chili, Zwiebeln, Knoblauch und Zucker zu einer Paste pürieren.

4. Würzpaste mit 2 EL Fischsauce, 2 EL Sesamöl und den Sesamsamen verrühren.

5. Rinderfilet in hauchdünne Scheiben schneiden.

6. Fleisch mit der Marinade in einer Schüssel mischen und 30 Minuten ziehen lassen.

7. Die Gurkenstreifen in einem Sieb kalt abspülen und abtropfen lassen.

8. Sojabohnensprossen mit kochendem Wasser überbrühen und abtropfen lassen.

9. Salat, Gurken, Frühlingszwiebeln, Sprossen und Kräuter auf einer Platte anrichten.

10. Backofengrill einschalten. Restliche Fischsauce mit 3–5 EL Wasser verrühren.

11. Backblech mit 1 EL Sesamöl einstreichen, Fleischscheiben darauf verteilen.

12. Fleisch auf der zweiten Schiene von oben rundum in 2 Minuten grillen.

8. Rezeptvariation Geflügelspieße mit Gemüseplatte

Zubereitung

1. Statt des Rinderfilets Hähnchenbrust- oder Putenbrustfilet nehmen. Das Fleisch zunächst in möglichst dünne Scheiben schneiden und dann wie im Rezept beschrieben marinieren.

2. Die Fleischscheiben auf lange Holzspieße fädeln und im Backofen in etwa 3 Minuten garen, dabei einmal wenden. Die Spieße mit der Gemüseplatte und der Fischsauce servieren.

9. Küchentipp · Bei Tisch

Das Rinderfilet lässt sich problemlos in hauchdünne Scheiben schneiden, wenn Sie es zuvor luftdicht in einen Gefrierbeutel verpacken und für etwa 1 Stunde in das Tiefkühlfach legen.

Genießen Sie dieses Gericht, wie es in Vietnam üblich ist: Hier belegt jeder Gast ein Salatblatt mit etwas Fleisch, Sprossen, Kräutern und Gemüsestreifen, rollt es dann zusammen und taucht es in die Fischsauce. Oft werden noch dünne Reisnudeln dazu gereicht.

10. Wenn etwas übrig bleibt

Aufbewahren

Das marinierte Fleisch kann man abgedeckt 2 Tage im Kühlschrank aufbewahren. Das bereits gegrillte Fleisch bleibt etwa 1 Tag im Kühlschrank saftig.

Hähnchenkeulen mit Tamarinde

▪ Thailand ▪

1. Einkauf

Koriander

Frischer Koriander wird im Asienladen meist mit den kleinen Wurzeln angeboten. Sie geben Gerichten eine feine Würze – einfach nur gründlich waschen und fein hacken.

Tamarindenmus

Das eingeweichte und gepresste Mark der Tamarindenschoten ähnelt äußerlich eingekochtem Pflaumenmus, enthält aber noch die Kerne. Tamarindenmus hat eine erfrischende Säure und kann durch Zitronensaft, Limettensaft oder Essig ersetzt werden.

Palmzucker

Wir haben für dieses Rezept gepresste Palmzuckertaler verwendet. Die Taler kann man gut portionieren und je nach Bedarf leicht mit dem Messerrücken zerreiben. Ersatzweise braunen Zucker nehmen.

2. Zutaten

4 Knoblauchzehen

1 rote Chilischote

15 g Ingwer

20 g Palmzucker

4 Korianderstiele (mit Wurzeln)

2 Zitronengrasstangen

4 EL Fischsauce

2 EL Öl

4 große Hähnchenkeulen

150 g Möhren

20 g Tamarindenmus

1 Fleischtomate (ca. 200 g)

1 EL Austernsauce

1 gestr. TL Speisestärke

3. Geräte

Messer

Schneidebrett

Kleine Schüssel

Esslöffel

Flache Schüssel

Küchensieb

Litermaß

Kleiner Topf

Breite Pfanne oder Wok

Pfannenwender

4. Zeit

Vorbereitung:

10 Minuten

Zubereitung:

40 Minuten
Marinierzeit: 1 Stunde
Garzeit: 50 Minuten

5. Nährwert

pro Person

412 kcal, 1724 kJ,
35 g EW, 25 g F, 11 g KH

6. Vorbereitung

1. Knoblauch schälen.

2. Chilischote halbieren, entkernen und waschen.

3. Ingwer schälen.

4. Palmzucker zerreiben.

5. Koriander waschen, trockenschütteln und die Blätter für die Dekoration beiseite legen. Die Korianderwurzeln gründlich waschen.

6. Vom Zitronengras die äußeren Blätter und die obere, trockene Hälfte entfernen. Die untere Zitronengrashälfte waschen.

1. Untere Zitronengrashälften mit der breiten Messerklinge erst zerdrücken, dann hacken.

2. Korianderwurzeln und 3 Knoblauchzehen ebenfalls hacken.

3. Zitronengras, Koriander, Knoblauch, Fischsauce und 1 EL Öl mischen.

4. Keulen im Gelenk halbieren, mit der Marinade bestreichen, 1 Stunde ziehen lassen.

5. Backofen auf 180 °C vorheizen. Hähnchenkeulen auf ein Backblech legen.

6. Fleisch auf der mittleren Schiene im Ofen 50 Minuten braten.

7. Den Backofengrill einschalten und das Fleisch weitere 5 Minuten übergrillen.

8. Inzwischen für die Sauce die Möhren schälen und in dünne Streifen schneiden.

9. Tamarindenmus mit 5 EL warmem Wasser zu einer Paste glatt rühren.

10. Die Paste durch ein Sieb streichen.

11. Chilischote, Ingwer und 1 Knoblauchzehe hacken.

12. Fleischtomate überbrühen, häuten, entkernen und in kleine Würfel schneiden.

7. Zubereitung Hähnchenkeulen mit Tamarinde

13. 1 EL Öl bei mittlerer Hitze erwärmen. Möhren und Chili darin kurz dünsten.

14. Ingwer, Knoblauch, Tomaten, Palmzucker, Austern- und Tamarindensauce hinzufügen.

15. Stärke mit 150 ml Wasser glatt rühren, in der Sauce 3 Minuten kochen lassen.

8. Rezeptvariation Ente mit Tamarinde

Zubereitung

1. Anstelle von Hähnchenkeulen können Sie auch Entenbrustfilets zu der Sauce servieren. Dafür 2 Entenbrustfilets mit der Hautseite nach oben auf den Backrost legen und im vorgeheizten Ofen bei 180 °C in 30 Minuten goldbraun braten.

2. Die Tamarindensauce wie im Rezept beschrieben zubereiten. Das Fleisch in Scheiben schneiden und mit der Sauce servieren.

9. Küchentipp · Bei Tisch

Noch pikanter schmecken die Hähnchenkeulen, wenn Sie sie mit der Marinade bestrichen über Nacht abgedeckt im Kühlschrank ziehen lassen.

Die Hähnchenkeulen nach Belieben mit Korianderblättern und Tomatenspalten garnieren und am besten mit einem Schälchen Basmatireis servieren.

10. Wenn etwas übrig bleibt

Aufbewahren

Die gegarten Hähnchenkeulen halten sich gut abgedeckt 2 Tage im Kühlschrank. Das Gleiche gilt für die Tamarindensauce.

Zum Erwärmen die Keulen mit der Sauce in eine ofenfeste Form setzen, mit Alufolie abdecken und im heißen Ofen (180 °C) erhitzen. Anschließend die Folie entfernen und eventuell unter dem Grill noch einmal kurz knusprig überbacken.

Glücksklöße

▪ China ▪

1. Einkauf

Lauch

Lauch, auch Porree genannt, ist auf unseren Märkten das ganze Jahr über erhältlich. Achten Sie beim Kauf darauf, dass die Stangen keine welken oder gelbbraun gefleckten Blätter haben.

Tapiokamehl

Tapiokamehl bekommen Sie im Asienladen. Es wird aus der Knolle des Maniokstrauchs gewonnen und ist wegen seines hohen Stärkegehalts ideal zum Binden von Saucen und Suppen.

Hackfleisch

Für dieses Rezept nehmen Sie am besten Rinder- oder gemischtes Hackfleisch. Wenn das Hackfleisch zu fett und daher sehr weich ist, verlieren die Klöße leicht ihre Form.

2. Zutaten

100 g Lauch

15 g Ingwer

12 Chinakohlblätter

1 EL Tapiokamehl (ersatzweise Speisestärke)

ca. 65 ml Reiswein

300 g Hackfleisch

1 Ei (Größe S)

Salz, Pfeffer

200 ml Gemüsebrühe

3 EL Sojasauce

60 g Glasnudeln

2 EL Austernsauce

3. Geräte

Messer

Schneidebrett

Kleine Schüssel

Esslöffel

Rührschüssel

Kochlöffel

Litermaß

2 Töpfe (davon 1 mit Deckel)

Wasserkessel oder -kocher

Küchensieb

Schaumkelle

4. Zeit

Vorbereitung:

10 Minuten

Zubereitung:

30 Minuten

5. Nährwert

pro Person

295 kcal, 1233 kJ,
20 g EW, 14 g F, 18 g KH

6. Vorbereitung

1. Lauch putzen und waschen. 50 g Lauch fein würfeln, den Rest in etwa 5 cm lange, dünne Streifen schneiden.

2. Ingwer schälen und fein hacken.

3. Chinakohlblätter waschen.

4. Tapiokamehl mit 1 EL Reiswein glatt rühren.

1. Hackfleisch mit gewürfeltem Lauch und gehacktem Ingwer mischen.

2. Die Reiswein-Tapiokamehl-Mischung, das Ei, etwas Salz und Pfeffer gut unterkneten.

3. Aus der Hackmasse mit den Händen 4 Klöße formen.

4. Gemüsebrühe mit dem restlichen Reiswein und Sojasauce aufkochen.

5. Fleischklöße hineingeben und zugedeckt bei kleiner Hitze in 20 Minuten garen.

6. Inzwischen Glasnudeln in einer Schüssel mit kochendem Wasser übergießen.

7. Nudeln ca. 10 Minuten quellen lassen, abgießen und in Stücke schneiden.

8. Die Chinakohlblätter in kochendem Wasser knapp 2 Minuten blanchieren.

9. Chinakohl herausnehmen, kalt abspülen und trockentupfen.

10. Die Lauchstreifen in das kochende Wasser geben und 2 Minuten blanchieren.

11. Kohlblätter auf einer Platte verteilen. Lauchstreifen und Nudeln darauf anrichten.

12. Die Klöße darauf setzen, mit etwas Brühe und der Austernsauce beträufeln.

8. Rezeptvariation Frittierte Glücksklöße

Zubereitung

1. Das Hackfleisch wie in Schritt 1 bis 3 beschrieben zubereiten. Die geformten Klöße in ca. 300 ml Erdnussöl kurz frittieren, herausnehmen und auf Küchenpapier abtropfen lassen.

2. Die Klöße in einen breiten Dämpfeinsatz oder Bambuskorb legen und in einen etwas größeren Topf setzen oder hängen. Ca. 400 ml Brühe mit dem Reiswein und der Sojasauce mischen und darüber gießen. Klöße zugedeckt im heißen Dampf in 20 bis 25 Minuten garen.

3. Glasnudeln, Chinakohlblätter und Lauchstreifen wie im Rezept beschrieben zubereiten. Die Glücksklöße darauf anrichten.

9. Küchentipp · Bei Tisch

Der Ingwer kann sein Aroma besonders gut entfalten, wenn man die geschälte Wurzel zunächst mit der breiten Klinge des Küchenmessers flach drückt und dann fein hackt. Es empfiehlt sich auch, das Schneidebrett leicht anzufeuchten – so kann es nicht den austretenden Saft aufsaugen.

Sie können die Klöße auch nur halb so groß formen und dann mit den Lauch-Nudeln und etwas Austernsauce in die Chinakohlblätter einwickeln.

10. Wenn etwas übrig bleibt

Aufbewahren

Die rohe Hackmasse sollten Sie auf jeden Fall am Tag des Einkaufs garen, da das Fleisch leicht verderblich ist. Die bereits gegarten Fleischklöße halten sich gut abgedeckt 2 Tage im Kühlschrank.

Hähnchen mit Wasserkastanien

▪ *Thailand* ▪

1. Einkauf

Wasserkastanien

Das kleine, runde Knollengemüse ist bei uns frisch kaum zu bekommen; Wasserkastanien aus der Dose sind aber eine gute Alternative. Sie finden sie im Asienladen oder in gut sortierten Supermärkten. Ihr knackiges Fruchtfleisch schmeckt erfrischend und erinnert leicht an Rettich.

Kohlrabi

Das einheimische Knollengemüse hat von April bis Oktober Hauptsaison. Bevorzugen Sie kleinere Knollen, die großen können holzig sein.

Shiitake-Pilze

Frische Shiitake-Pilze bekommen Sie beim gut sortierten Gemüsehändler. Als Alternative bieten sich z. B. Egerlinge an, allerdings sind sie nicht ganz so würzig.

2. Zutaten

400 g Hähnchenbrustfilet

200 g Wasserkastanien (aus der Dose)

250 g Frühlingszwiebeln

300 g Kohlrabi

140 g Shiitake-Pilze

2 rote Peperoni

3 Knoblauchzehen

3 EL Erdnussöl

2–3 EL Sesamöl

6 EL helle Sojasauce

3 EL Austernsauce

3. Geräte

Messer

Schneidebrett

Küchensieb

Esslöffel

Breite Pfanne oder Wok

Kochlöffel

Litermaß

4. Zeit

Vorbereitung:

15 Minuten

Zubereitung:

30 Minuten

5. Nährwert

pro Person

315 kcal, 1312 kJ, 30 g EW, 13 g F, 20 g KH

6. Vorbereitung

1. Das Fleisch in sehr feine Streifen schneiden.

2. Wasserkastanien in einem Sieb abtropfen lassen und halbieren.

3. Frühlingszwiebeln putzen und waschen.

4. Kohlrabi schälen.

5. Shiitake-Pilze putzen.

6. Peperoni längs halbieren, entkernen, waschen und quer in feine Streifen schneiden.

7. Knoblauch schälen und fein hacken.

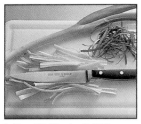

1. Das Weiße der Frühlingszwiebeln längs vierteln, das Grün in Streifen schneiden.

2. Kohlrabi in feine Stifte schneiden.

3. Die Stiele der Shiitake-Pilze hacken. Größere Pilze halbieren.

4. Das Erdnussöl in einer breiten Pfanne oder im Wok erhitzen.

5. Fleisch darin unter Rühren bei großer Hitze rundum anbraten und herausnehmen.

6. Sesamöl in der Pfanne bei mittlerer Hitze erwärmen.

7. Zwiebelstücke, Pilze, Wasserkastanien, Kohlrabi, Knoblauch und Peperoni zufügen.

8. Das Gemüse etwa 4 Minuten unter Rühren dünsten.

9. Sojasauce, Austernsauce und 200 ml Wasser mischen.

10. Die Flüssigkeit zu dem Gemüse gießen und kurz köcheln lassen.

11. Die Fleischstreifen in die Gemüsepfanne mischen und erhitzen.

12. Kurz vor dem Servieren das Frühlingszwiebelgrün untermischen.

8. Rezeptvariation Puten-Nudel-Pfanne

Zubereitung

1. 60 bis 80 g Glasnudeln in einer Schüssel mit kochendem Wasser übergießen und 10 Minuten ziehen lassen, bis sie weich sind, aber noch Biss haben. Nudeln in ein Sieb abgießen und abtropfen lassen.

2. Statt des Hähnchenbrustfilets Putenschnitzel nehmen und in feine Streifen schneiden.

Übrige Zutaten wie im Rezept beschrieben vor- und zubereiten.

3. Die Nudeln mit den Fleischstreifen unter das Gemüse mischen.

9. Küchentipp · Bei Tisch

Falls Sie keine frischen Shiitake-Pilze bekommen, können Sie auch getrocknete verwenden. Die Pilze dann mit ca. 250 ml kochendem Wasser übergießen und ziehen lassen. Beim Abgießen die Flüssigkeit auffangen, die Pilze am besten klein schneiden. Das Pilzwasser mit 100 ml Wasser, der Soja- und der Austernsauce mischen und in die Hähnchenpfanne geben.

Dazu passt sehr gut Jasmin- oder Basmatireis.

10. Wenn etwas übrig bleibt

Aufbewahren

Die Hähnchenpfanne hält sich abgedeckt 2 Tage im Kühlschrank. Einen Rest kann man als Einlage für eine Suppe oder als Füllung für Frühlingsrollen nehmen.

Schweinefleisch süß-sauer

▪ China ▪

1. Einkauf

Schweinefilet

Mit Filet wird das Gericht natürlich besonders fein. Sie können aber auch ausgelöstes mageres Schweinekotelett nehmen.

Worcestersauce

Mit der aromatischen englischen Worcestersauce (sprich: Wustersoße) werden Gerichte in aller Welt gewürzt. Sie wird u. a. aus Limonen- und Tamarindensaft, Essig, Sojasauce, Karamell und zahlreichen Gewürzen hergestellt und ist fast unbegrenzt haltbar. Ersatzweise können Sie entsprechend mehr Sojasauce verwenden.

Ananas

Reife Ananas duften aromatisch und ihre Schale gibt auf leichten Druck nach. Je ausgeprägter die Struktur der Schale, desto intensiver der Geschmack der Frucht.

2. Zutaten

1 große weiße Zwiebel (ca. 250 g)

je 1 rote und gelbe Paprikaschote

400 g Schweinefilet

1 ½ EL Reisessig

2 ½ EL Tomatenketchup

1 EL Worcestersauce

2 TL Sojasauce

ca. 5 ½ EL Zucker

1 Ananas

1 Ei (Größe L)

Salz

3 ½ EL Speisestärke

4 EL Öl

3. Geräte

Messer

Schneidebrett

Kleine Schüssel

Esslöffel

Große Schüssel

Teelöffel

Breite Pfanne oder Wok

Pfannenwender

Litermaß

Schneebesen

4. Zeit

Vorbereitung:
10 Minuten

Zubereitung:
30 Minuten

5. Nährwert

pro Person

440 kcal, 1840 kJ,
27 g EW, 14 g F, 48 g KH

6. Vorbereitung

1. Zwiebel schälen, erst längs halbieren, dann quer in Streifen schneiden.

2. Paprikaschoten putzen, waschen und in Rauten schneiden.

3. Fleisch in dünne Streifen schneiden.

4. Ketchup, Sojasauce, Worcestersauce, Essig und 5 EL Zucker in einer kleinen Schüssel verrühren.

1. Die Ananas längs halbieren und das Fruchtfleisch mit einem Messer herauslösen.

2. Den weißlichen Strunk entfernen und 150 g Fruchtfleisch in Stücke schneiden.

3. Ei mit 4 EL Wasser, etwas Salz und ½ TL Zucker verquirlen. Das Fleisch hinzufügen.

4. Das Fleisch herausnehmen und in einer Schüssel mit 2 EL Speisestärke mischen.

5. 3 EL Öl in einer breiten Pfanne oder im Wok bei großer Hitze erwärmen.

6. Fleischstreifen darin unter Rühren rundum anbraten und herausnehmen.

7. 1 EL Öl erhitzen. Paprika, Zwiebeln und Ananas darin bei mittlerer Hitze anbraten.

8. Gemüse und Ananas aus der Pfanne nehmen.

9. Die vorbereitete Ketchupsauce in die Pfanne gießen und einmal aufkochen lassen.

10. 2 TL Stärke in ¼ l kaltem Wasser glatt rühren, in die Sauce geben und aufkochen.

11. Fleisch, Gemüse und Ananasstücke dazugeben und kurz erwärmen.

12. Das Schweinefleisch in den Ananashälften anrichten.

8. Rezeptvariation Hühnerfleisch süß-sauer

Zubereitung

1. 4 Frühlingszwiebeln putzen, waschen und in 4 cm lange Streifen schneiden. 200 g Stangensellerie putzen und in Scheiben schneiden. 1 kleine rote Paprikaschote putzen, waschen und in Rauten schneiden. 150 g Ananasfruchtfleisch in Stücke schneiden.

2. 400 g Hähnchenbrustfilet in dünne Streifen schneiden. Die vorbereiteten Zutaten mit der Sauce wie im Rezept beschrieben zubereiten. Mit Selleriegrün garniert servieren.

9. Küchentipp · Bei Tisch

Die Ananas lässt sich leicht aushöhlen, wenn man das Fruchtfleisch zuerst mit einem spitzen, scharfen Messer längs in drei Segmente schneidet. Das Fleisch nun rundherum von der Schale schneiden. Dabei einen etwa fingerbreiten Rand lassen, damit die Schale intakt bleibt und man die Hälften gut füllen kann. Wenn Sie das Schweinefleisch süß-sauer nicht in Ananashälften anrichten möchten, können Sie das Gemüse auch mit 1 Baby-Ananas zubereiten.

10. Wenn etwas übrig bleibt

Aufbewahren

Schweinefleisch süß-sauer hält sich gut abgedeckt im Kühlschrank 1 bis 2 Tage. Luftdicht verpackt können Sie es auch einfrieren – am besten in Portionsgrößen. Bei Bedarf zugedeckt bei kleiner Hitze im Topf wieder erhitzen. Das übrig gebliebene Ananasfruchtfleisch können Sie für ein Dessert verwenden und z. B. einen exotischen Obstsalat (siehe Rezept Seite 227) zubereiten.

Tandoori-Hähnchen

▪ Indien ▪

1. Einkauf

Kurkuma

Gemahlen ist die Kurkumawurzel ein wichtiger Bestandteil des Currypulvers und würzt fast alle indischen Speisen. Das goldgelbe Pulver ist sehr lichtempfindlich und sollte daher in einem dunklen Glas aufbewahrt werden.

Kreuzkümmel

Kreuzkümmel, auch als Cumin bekannt, stammt ursprünglich aus dem Orient und schmeckt wesentlich milder als der bei uns bekannte Kümmel. Trotzdem sollte man ihn vorsichtig dosieren, da er andere Gewürze leicht dominiert.

Koriander (gemahlen)

Gemahlene Koriandersamen erinnern geschmacklich ein wenig an Orangenschalen. Ein wesentlich intensiveres Aroma als fertig gekauftes Korianderpulver haben ganze Samen, die man erst kurz vor der Verwendung selbst in der Gewürzmühle oder im Mörser zerkleinert.

2. Zutaten

20 g Ingwer

3 Knoblauchzehen

3 rote Chilischoten

4 Frühlingszwiebeln

2 rote Paprikaschoten

½ Blattsalat

1 Bund Koriander

3 Minzeblätter

4 kleine Hähnchenkeulen (à ca. 180 g)

200 g Sahnejoghurt (10 % Fett)

2 EL Öl

1 TL Kurkuma

2½ TL Kreuzkümmel

2 TL Koriander (gemahlen)

Salz

2 EL Apfelessig

2 EL Gemüsebrühe

1 EL Limettensaft

3. Geräte

Messer

Schneidebrett

Salatschleuder

3 kleine Schüsseln

Esslöffel

Teelöffel

Große, ofenfeste Form

Küchenpinsel

4. Zeit

Vorbereitung:

10 Minuten

Zubereitung:

20 Minuten
Marinierzeit: 4 Stunden
Garzeit: 50 Minuten

5. Nährwert

pro Person

720 kcal, 3015 kJ,
48 g EW, 35 g F, 52 g KH

6. Vorbereitung

1. Ingwer und Knoblauch schälen, beides hacken.

2. Chilischoten längs halbieren, entkernen, waschen und hacken.

3. Frühlingszwiebeln putzen und waschen.

4. Paprikaschoten putzen und waschen.

5. Salat waschen, trockenschleudern und in mundgerechte Stücke zupfen.

6. Koriander und Minze waschen, trockenschütteln und die Blätter abzupfen. Die Minze in Streifen schneiden.

7. Backofen auf 200 °C vorheizen.

1. Die Hähnchenkeulen im Gelenk zwischen Ober- und Unterkeule durchtrennen.

2. Das Zwiebelgrün längs in dünne Streifen schneiden und in Eiswasser legen.

3. Das weiße Ende der Frühlingszwiebeln fein hacken.

4. 100 g Joghurt mit Ingwer, gehackten Zwiebeln, je ⅔ von Chili und Knoblauch verrühren.

5. Öl, Kurkuma, 2 TL Kreuzkümmel, Koriander, 1 TL Salz und den Apfelessig zufügen.

6. Fleisch rundum mit der Marinade bestreichen und 4 Stunden ziehen lassen.

7. Paprikahälften halbieren und zackenförmig einschneiden. Paprikaecken würfeln.

8. 100 g Joghurt, Brühe und Limettensaft mit restlichem Knoblauch und Chili verrühren.

9. Minze, etwas Koriander, Paprikawürfel, ½ TL Kreuzkümmel und Salz unterrühren.

10. Das marinierte Fleisch zugedeckt auf der mittleren Schiene 20 Minuten garen.

11. Fleisch offen 20 Minuten garen. Backofengrill zuschalten und 8 Minuten übergrillen.

12. Fleisch mit Sauce, Salat, Zwiebellocken, Paprikablättern und Koriander anrichten.

8. Beilage Naan-Brot

Zubereitung

1. 250 g Mehl mit 1 TL Salz und je ½ TL Zucker und Kreuzkümmel in einer Schüssel mischen. 2 Eier mit 2 EL Öl verquirlen. ⅛ l Milch erwärmen. ½ Würfel Hefe zerbröseln und darin auflösen. Eier und Hefemilch mit den Knethaken des Handrührgeräts mit dem Mehl zu einem geschmeidigen Teig verarbeiten.

2. Hefeteig abgedeckt an einem warmen Ort etwa 45 Minuten gehen lassen, bis er sein Volumen verdoppelt hat. Das Backblech in den Backofen schieben, Ofen auf 225 °C vorheizen.

3. Hefeteig vierteln, jedes Teigstück mit bemehlten Händen kurz kneten und auf der bemehlten Arbeitsfläche etwa handtellergroß flach streichen. Dann zwischen den Händen mit leichtem Druck hin- und herklatschen.

4. Teigfladen nach Belieben mit getrockneten Kräutern oder Gewürzen (z. B. Chili oder Koriander) bestreuen. Fladen auf das heiße Backblech legen und auf der zweiten Schiene von unten in ca. 9 Minuten goldgelb backen.

9. Küchentipp · Bei Tisch

Tandoori-Hähnchen werden in Indien im Tandoor-Ofen gegart, einem fassförmigen Lehmofen, der oft in den Boden versenkt ist und mit Holz oder Holzkohle befeuert wird. Im Innern des Ofens herrschen so hohe Temperaturen, dass die Hähnchen meist bereits nach 10 Minuten gar sind. Das Fleisch bekommt durch den Ofen ein erdiges Aroma. Ursprünglich wurde der Tandoor zum Brotbacken gebaut – so wird auch heute noch das Naan-Brot, der traditionelle indische Brotfladen, an die Innenwand des Ofens gedrückt und dort in Minutenschnelle gebacken.

Am besten marinieren Sie das Fleisch bereits am Vortag und lassen es gut abgedeckt über Nacht im Kühlschrank ziehen – so schmeckt es besonders würzig.

10. Wenn etwas übrig bleibt

Aufbewahren

Das Tandoori-Hähnchen hält sich abgedeckt 2 Tage im Kühlschrank. Das Naan-Brot schmeckt frisch gebacken am besten. Sie können die Fladen aber gut verpackt einfrieren und dann im Ofen wieder kurz auf der unteren Schiene (z. B. unter dem Tandoori-Hähnchen) aufbacken.

Rindfleischpfanne

▪ China ▪

1. Einkauf

Rindfleisch

Ideal für dieses Rezept ist
z. B. Entrecote oder Hüft-
steak.

Palmenherzen

Palmenherzen, auch Palmi-
to genannt, sind das Mark
aus dem Ansatz der Palm-
wedel einer ca. 20 Meter
hohen Palme. Die läng-
lichen, fast weißen Rollen
gibt es nur in der Dose.
Erhältlich im Asienladen.

Reiswein

Wie bei uns Wein und
Sherry wird Reiswein (ver-
gorener Reis mit einem
Alkoholgehalt von 15 bis
20 Vol. %) in der chinesischen Küche zum Würzen
verwendet. Besonders
berühmt ist der Reiswein
aus Shaoxing, einer Millio-
nenstadt im Süden von
Shanghai.

2. Zutaten

400 g Rindfleisch
(zum Kurzbraten)

200 g Palmenherzen
(aus der Dose)

2 rote Paprikaschoten

2 weiße Zwiebeln

30 g Ingwer

1 Eiweiß (Größe L)

Salz

1–2 EL Tapiokamehl
(ersatzweise Speisestärke)

3–4 EL Sojasauce

Pfeffer

Erdnussöl zum Frittieren

ca. 6 EL Reiswein

3. Geräte

Messer
Schneidebrett
Küchensieb
Elektrisches Handrührgerät
Rührschüssel
Esslöffel
Breite Pfanne oder Wok
Pfannenwender

4. Zeit

Vorbereitung:

10 Minuten

Zubereitung:

25 Minuten
Marinierzeit: 30 Minuten

5. Nährwert

pro Person

295 kcal, 1230 kJ,
26 g EW, 14 g F, 12 g KH

6. Vorbereitung

1. Rindfleisch in sehr
dünne Streifen schneiden.

2. Palmenherzen in einem
Sieb mit kaltem Wasser
abspülen, abtropfen lassen

3. Paprikaschoten putzen
und waschen.

4. Zwiebeln schälen, erst
längs halbieren, dann quer
in feine Streifen schneiden.

5. Ingwer schälen und
hacken.

1. Das Eiweiß steif schlagen.

2. Tapiokamehl, 1 EL Sojasauce und etwas Pfeffer untermischen.

3. Die Rindfleischstreifen in den Eischnee geben und 30 Minuten ziehen lassen.

4. Paprika in dünne Streifen schneiden.

5. Die Hälfte der Palmenherzen in Scheiben, den Rest in dünne Streifen schneiden.

6. In einer breiten Pfanne oder im Wok ca. 3 cm hoch Öl bei großer Hitze erwärmen.

7. Fleischstreifen portionsweise im heißen Fett unter Rühren knusprig braten.

8. Fleisch herausnehmen und auf Küchenpapier abtropfen lassen.

9. Das Öl bis auf einen dünnen Film abgießen und bei mittlerer Hitze erwärmen.

10. Ingwer, Zwiebel- und Paprikastreifen darin etwa 3 Minuten dünsten.

11. Palmenherzenscheiben und -streifen hinzufügen und kurz mitdünsten.

12. Fleisch untermischen, mit Sojasauce und Reiswein ablöschen.

8. Rezeptvariation Chinesische Hähnchenpfanne

Zubereitung

Statt mit Rindfleisch können Sie das Rezept auch mit Hähnchenbrustfilet zubereiten. Wer es schärfer mag, kann 1 TL rote Currypaste mit 2 EL warmem Wasser, dem Reiswein und der Sojasauce verrühren. Die Fleischpfanne mit der Saucenmischung ablöschen.

9. Küchentipp · Bei Tisch

Durch das Marinieren in der Eischnee-Tapiokamehl-Mischung erhält das Fleisch beim Braten einen feinen Teigmantel, der sich dann in der Gemüsepfanne mit der Sauce vollsaugt. Wenn Sie es lieber knusprig mögen, das Fleisch braten und separat zu der Gemüsepfanne servieren.

Schnell gemacht und sehr dekorativ: Die Rindfleischpfanne mit Schnittknoblauch- oder Frühlingszwiebelhalmen garnieren.

10. Wenn etwas übrig bleibt

Aufbewahren

Die Rindfleischpfanne hält sich abgedeckt etwa 2 Tage im Kühlschrank. Reste kann man bei Bedarf kurz wieder erhitzen oder zum Füllen von Frühlingsrollen oder dünnen Pfannkuchen verwenden.

Lammcurry

▪ Indonesien ▪

1. Einkauf

Lammfleisch

Bitten Sie am besten Ihren Metzger, das Fleisch von Sehnen und Fett zu befreien.

Chilischoten

Die frischen Schoten der Cayennepfefferpflanze sind in gelber, grüner, roter und orangefarbener Variante erhältlich. Vorsicht bei der Verarbeitung der scharfen Schoten: Ihr Saft bleibt an den Fingern haften. Daher nach dem Schneiden unbedingt die Hände gründlich waschen und nicht die Augen reiben!

Papaya

Es empfiehlt sich, eine Papaya mit möglichst festem Fruchtfleisch zu kaufen, da sie sonst im Curry zerfällt.

Erbsen

Natürlich können Sie auch frische Erbsen oder Erbsen aus der Dose verwenden. Dosenerbsen aber erst kurz vor Garzeitende zufügen.

2. Zutaten

400 g Lammfleisch (aus der Keule)

200 g weiße Zwiebeln

6 Knoblauchzehen

25 g Ingwer

3–4 rote Chilischoten

1 Papaya

2 Minzestiele

4–5 EL Öl

¼ TL Garnelenpaste

¾ TL Kurkuma

1 TL brauner Zucker

½ l Kokosmilch

120 g Erbsen (tiefgekühlt)

ca. 3 EL Limettensaft

2 EL Kokoschips

3. Geräte

Messer

Schneidebrett

Esslöffel

Breiter Topf oder Wok

Pfannenwender

Schaumkelle

Schüssel

Litermaß

4. Zeit

Vorbereitung:

15 Minuten

Zubereitung:

25 Minuten

5. Nährwert

pro Person

490 kcal, 2060 kJ, 27 g EW, 36 g F, 16 g KH

6. Vorbereitung

1. Lammfleisch eventuell von Fett und Sehnen befreien und in ca. 1 cm große Würfel schneiden.

2. Zwiebeln schälen und fein würfeln.

3. Knoblauch und Ingwer schälen, beides hacken.

4. Chilischoten längs halbieren, entkernen, waschen und quer in feine Streifen schneiden.

5. Papaya längs halbieren und entkernen. Die Fruchthälften schälen. Eine Hälfte in Spalten, die andere in Stücke schneiden.

6. Minze waschen, trockenschütteln und die Blätter abzupfen.

1. 2–3 EL Öl in einem breiten Topf oder im Wok bei großer Hitze erwärmen.

2. Die Fleischwürfel darin portionsweise anbraten und wieder herausnehmen.

3. Die Pfanne eventuell auswischen. 2 EL Öl darin bei mittlerer Hitze erwärmen.

4. Zwiebeln, Knoblauch, Ingwer, Chili, Garnelenpaste, Kurkuma und Zucker zufügen.

5. Alles unter Rühren leicht anbraten.

6. Kokosmilch angießen und aufkochen lassen.

7. Tiefgekühlte Erbsen hinzufügen und einmal aufkochen lassen.

8. Die Fleischwürfel mit dem ausgetretenen Saft in die Pfanne geben.

9. Alles 8 Minuten leicht köcheln lassen.

10. Mit Salz und Limettensaft abschmecken.

11. Kurz vor dem Servieren die Papayastücke in das Curry geben und erwärmen.

12. Lammcurry mit Papayaspalten, Minzeblättchen und Kokoschips anrichten.

8. Rezeptvariation Rindfleischcurry

Zubereitung

1. 400 g Rindfleisch in etwa 1 cm große Würfel schneiden und in heißem Öl anbraten. Statt der Papaya ca. 300 g Kohlrabi nehmen, schälen und in feine Stifte schneiden.

2. 1 rote Paprikaschote putzen, waschen, in Rauten schneiden und mit den Zwiebeln und Gewürzen anbraten. Das Curry wie im Rezept beschrieben zubereiten.

9. Küchentipp · Bei Tisch

Wer es nicht ganz so scharf mag, kann die Chilischoten unzerkleinert mitkochen und vor dem Servieren wieder aus dem Curry nehmen.

Ideal für das Curry ist eine unreif geerntete grüne Papaya, die man bei uns leider nur sehr selten bekommt. Als Alternative bietet sich Kohlrabi an (siehe Rezeptvariation), der der unreifen Papaya im Geschmack recht ähnlich ist.

Zu Lamm- oder Rindfleischcurry passt am besten Reis oder Fladenbrot.

10. Wenn etwas übrig bleibt

Aufbewahren

Das Lammcurry hält sich gut abgedeckt 2 Tage im Kühlschrank. Sie können es auch portionsweise einfrieren. Dann sollten Sie aber auf die Papaya verzichten oder die Fruchtstücke vor dem Einfrieren herausnehmen. Bei Bedarf bei kleiner Hitze zugedeckt wieder erhitzen.

Obstkrapfen
▪ *Indien* ▪

1. Einkauf

Apfel

Wählen Sie einen Apfel mit möglichst festem und leicht säuerlichem Fruchtfleisch, z. B. Braeburn oder Boskoop.

Baby-Ananas

Die Mini-Früchte schmecken meist süßer als die großen Ananas. Ihr Strunk ist zarter und kann mitgegessen werden.

Kardamom

Dieses Gewürz kennt man bei uns vor allem aus der Weihnachtsbäckerei – es ist ein Bestandteil der klassischen Lebkuchengewürzmischung. Gemahlenen Kardamom bekommen Sie im Asienladen.

2. Zutaten

12 Erdbeeren

1 Nektarine

1 Apfel

1 Baby-Ananas

200–250 ml Milch

150 g Weizenmehl (Typ 405)

1 gestr. TL Backpulver

1 TL Zimt

1 TL Kardamom

ca. 500 g Fett zum Ausbacken

2 EL Puderzucker

3. Geräte

Küchensieb

Messer

Schneidebrett

Kernausstecher

Litermaß

Schmaler Topf

Teelöffel

Rührschüssel

Schneebesen

Breiter Topf

Kochlöffel

Schaumkelle

Esslöffel

Kleines Küchensieb

4. Zeit

Vorbereitung:

10 Minuten

Zubereitung:

25 Minuten

5. Nährwerte

pro Person

300 kcal, 1257 kJ, 4 g EW, 11 g F, 46 g KH

6. Vorbereitung

1. Erdbeeren waschen, abtropfen lassen und die Blütenansätze entfernen.

2. Nektarine waschen, trockenreiben, halbieren und den Stein entfernen. Die Fruchthälften in nicht zu dicke Spalten schneiden.

3. Apfel waschen, trockenreiben und mit einem Kernausstecher die Kerne entfernen. Apfel quer in Ringe schneiden.

1. Den Blütenansatz der Baby-Ananas herausdrehen und die Frucht schälen.

2. Das Fruchtfleisch zunächst längs halbieren, dann quer in Scheiben schneiden.

3. Backofen auf 100 °C vorheizen.

4. Die Milch bei kleiner Hitze erwärmen. Sie soll nur lauwarm sein.

5. Mehl, Backpulver, Zimt und Kardamom in einer Rührschüssel mischen.

6. Milch unter Rühren dazugießen. Der Teig sollte dickflüssig sein.

7. Fett im Topf erhitzen. Es ist heiß, wenn an einem Holzlöffelstiel Blasen aufsteigen.

8. Die Obststücke durch den Teig ziehen und etwas abschütteln.

9. Obst portionsweise in 4 Minuten rundum goldbraun backen.

10. Krapfen herausnehmen und auf Küchenpapier abtropfen lassen.

11. Die Obstkrapfen im Ofen warm halten, bis alle gebacken sind.

12. Krapfen mit Puderzucker bestäuben und noch warm servieren.

8. Rezeptvariation Gebackene Bananen

Zubereitung

1. Anstelle der gemischten Früchte 4 Bananen schälen, in etwa 3 cm große Stücke schneiden und wie im Rezept beschrieben zubereiten.

2. Die gebackenen Fruchtstückchen auf Bananenblättern servieren. Dafür 4 Blätter in ca. 20 x 20 cm große Stücke schneiden und mit einem feuchten Tuch auf beiden Seiten gründlich abwischen. Die Bananenblätter nach Belieben mit einer Küchenschere in Form schneiden, z. B. rundum zackenförmig.

9. Küchentipp · Bei Tisch

Wenn Sie testen wollen, ob das Frittierfett heiß genug ist, können Sie auch einfach einen Tropfen Teig in das Fett geben – er muss leicht zischend nach oben steigen.

Die Obstkrapfen können Sie auch in der Pfanne ausbacken: Dafür ca. 3 cm hoch Fett in der Pfanne erhitzen. Runde Früchte, wie z. B. die Erdbeeren, dann besser halbieren.

Besonders exotisch sieht es aus, wenn Sie die Obstkrapfen auf den Blättern einer Bananenblüte (gibt es im Asienladen) servieren.

10. Wenn etwas übrig bleibt

Aufbewahren

Die fertigen Obstkrapfen schmecken frisch gebacken am besten. Nach längerem Aufbewahren wird der Teig leicht zäh. Der Teig sollte immer frisch angerührt werden. Die Triebfähigkeit des Backpulvers geht verloren, wenn das Mehl zu lange quillt.

Mangomousse
▪ Thailand / Indien ▪

1. Einkauf

Mango

Die Mango muss reif sein, damit das aromatische Fruchtfleisch weich genug zum Pürieren ist. Zu feste Mangos können Sie in der Obstschale nachreifen lassen.

Agar-Agar-Pulver

Agar-Agar ist ein rein pflanzliches Geliermittel, das aus Algen gewonnen wird. Seine Gelierkraft ist stärker als die von Gelatine.

Joghurt

Am besten verwenden Sie Vollmilchjoghurt. Kalorien-bewusste können natürlich auch auf fettarmen Joghurt zurückgreifen – allerdings wird die Mousse dann nicht so cremig.

Bananenblatt

Bananenblätter bekommen Sie im Asienladen. In der asiatischen Küche finden die Blätter häufig als De-koration oder als Hülle für Speisen zum Garen auf dem Grill oder im Ofen Verwendung.

2. Zutaten

1 Mango (ca. 350–400 g)

6 g Ingwer

1 Limette

30 g Zucker

250 ml Kokosmilch

½ TL Agar-Agar-Pulver

50 g Joghurt

1 Stück Netzmelone (ca. 400 g)

1 Stück Bananenblatt

3. Geräte

Sparschäler

Messer

Schneidebrett

Zitruspresse

Esslöffel

Stabmixer

Litermaß

Teelöffel

Kleiner Topf

4 Tassen oder kleine, geradwandige Gläser

Kugelausstecher

Küchenschere

4. Zeit

Vorbereitung:
5 Minuten

Zubereitung:
25 Minuten
Kühlzeit: 4 Stunden

5. Nährwerte

pro Person

230 kcal, 956 kJ,
3 g EW, 10 g F, 31 g KH

6. Vorbereitung

1. Mango schälen. Das Fruchtfleisch vom harten, faserigen Kern schneiden. 250 g Fruchtfleisch klein schneiden. Eventuell rest-liches Fruchtfleisch für die Dekoration in kleine Würfel oder Spalten schneiden.

2. Ingwer schälen und fein hacken.

3. Limette erst mit leich-tem Druck auf der Arbeits-fläche hin- und herrollen, dann halbieren. Eine Hälfte auspressen, die andere in Spalten schneiden.

1. Mangofruchtfleisch mit 2 EL Limettensaft mit dem Stabmixer fein pürieren.

2. 15 g Zucker und 100 ml Kokosmilch hinzufügen und alles nochmals pürieren.

3. 6 EL Wasser mit Agar-Agar unter Rühren 1 bis 2 Minuten köcheln lassen.

4. Den Topf vom Herd ziehen und das Mangopüree nach und nach unterrühren.

5. Joghurt unter die Mangocreme rühren und in kalt ausgespülte Tassen füllen.

6. Mangocreme für mindestens 4 Stunden abgedeckt kalt stellen.

7. Für die Kokossauce 150 ml Kokosmilch mit Ingwer und 15 g Zucker köcheln lassen.

8. Die Kokossauce mit 1 EL Limettensaft abschmecken und abkühlen lassen.

9. Aus der Netzmelone mit einem Kugelausstecher kleine Bällchen formen.

10. Bananenblatt abwischen und in 4 zackenförmige Blätter schneiden.

11. Mit einem Messer zwischen Mangomousse und Förmchenrand entlangfahren.

12. Die Mangomousse stürzen und auf den Bananenblättern anrichten.

8. Rezeptvariation Nektarinenmousse

Statt der Mango können Sie auch andere Früchte, wie z. B. Nektarinen, pürieren und die Mousse wie im Rezept beschrieben zubereiten. Wenn Sie die Sauce verfeinern möchten, können Sie ca. 200 ml Ananassaft mit der Kokosmilch und den restlichen Zutaten verrühren. Falls Sie keine reifen Mangos bekommen, bietet sich als Alternative Mango-Pulp an. Das pürierte Mangofruchtfleisch gibt es in Dosen (à ca. 200 g) im Asienladen.

9. Küchentipp · Bei Tisch

Wenn Sie im Asienladen indische Alphonso-Mangos sehen, sollten Sie unbedingt zugreifen: Diese Früchte sind besonders aromatisch und haben keine Fasern – mit ihnen schmeckt die Mousse am besten. Alphonso-Mangos haben zwischen Ende März und Mitte Juli Saison.

Agar-Agar muss immer kurz mit etwas Flüssigkeit köcheln, bevor es seine Gelierfähigkeit entwickelt. 1 TL Agar-Agar-Pulver reicht in der Regel für 250 bis 350 ml Flüssigkeit aus. Agar-Agar gibt es auch als Streifen, das Pulver ist aber leichter zu dosieren.

Die Mangomousse mit den Melonenkugeln, Limettenspalten und Mangowürfeln garnieren.

10. Wenn etwas übrig bleibt

Aufbewahren

Die Mangomousse hält sich gut abgedeckt 1 bis 2 Tage im Kühlschrank. Die Kokossauce können Sie noch länger – etwa 3 bis 4 Tage – in einem verschließbaren Gefäß im Kühlschrank aufbewahren.

Kokosreis

▪ Thailand ▪

1. Einkauf

Rundkornreis
Am schnellsten und einfachsten lässt sich das Rezept mit klassischem Milchreis zubereiten.

Limette
Sie sollten nur eine unbehandelte Frucht kaufen, da auch die Schale verwendet wird. Wichtig: Die Limette darf nicht zu fest sein, da sie sonst nur sehr wenig Saft enthält.

Kokoschips
Die langen, breiten Späne der Kokosnuss bekommen Sie in gut sortierten Supermärkten und im Reformhaus.

Papaya
Die melonenartige Tropenfrucht ist das ganze Jahr über im Handel. Sie sollte weich sein, damit man sie pürieren kann.

2. Zutaten

125 g Rundkornreis
1 Limette
8 g Ingwer
250 ml Kokosmilch
ca. 2 EL Zucker
20 g Kokoschips
½ kleine Papaya

3. Geräte

Küchensieb
Zitronenreibe
Messer
Zitruspresse
Schneidebrett
Litermaß
Topf mit Deckel
Esslöffel
Kochlöffel
Pfanne
Hoher Rührbecher
Stabmixer
4 kleine Timbalförmchen; ersatzweise Tassen

4. Zeit

Vorbereitung:
10 Minuten

Zubereitung:
30 Minuten
Kühlzeit: 2 Stunden

5. Nährwerte

pro Person
250 kcal, 1050 kJ,
4 g EW, 12 g F, 32 g KH

6. Vorbereitung

1. Reis in einem Sieb waschen, bis das Wasser klar ist.

2. Limette heiß waschen, trockenreiben und etwa 1 TL Schale fein abreiben. Limette halbieren und auspressen.

3. Ingwer schälen und fein hacken.

1. Kokosmilch mit Zucker und Ingwer in einem Topf aufkochen.

2. Reis hineingeben und einmal umrühren.

3. Kokosreis zugedeckt bei kleinster Hitze etwa 25 Minuten quellen lassen.

4. Inzwischen die Kokoschips in einer trockenen Pfanne ohne Fett goldbraun rösten.

5. Papayahälfte entkernen, schälen und klein schneiden.

6. Fruchtfleisch in einem hohen Rührbecher fein pürieren.

7. 2 EL Limettensaft hinzufügen und kalt stellen.

8. Limettenschale unter den Kokosreis rühren und in Timbalförmchen füllen.

9. Kokosreis abgedeckt im Kühlschrank 2 Stunden vollkommen abkühlen lassen.

10. Die Papayasauce als Spiegel auf die Teller geben.

11. Den Kokosreis vorsichtig aus den Förmchen lösen und stürzen.

12. Kokosreis auf die Fruchtsauce setzen und mit Kokoschips garnieren.

8. **Rezeptvariation** Kokosreis mit Rosinen

Zubereitung

1. Statt mit Rundkornreis kann man den Kokosreis auch mit Basmatireis zubereiten. Den Reis mit 250 ml Kokosmilch, 100 g Sahne und 2 EL gewaschenen Rosinen wie im Rezept beschrieben garen.

2. Kurz vor Ende der Garzeit 25 g gehackte Pistazien und ½ TL Kardamom unterrühren. Den Kokosreis warm oder kalt servieren.

9. **Küchentipp · Bei Tisch**

Ein Trick, wie Sie am besten die Limettenschale abreiben: Einfach ein Stück Pergamentpapier um die Zitronenreibe wickeln – so bleiben nicht so viele Schalenreste auf der Reibefläche haften. Die Limettenschale rundum abreiben, das Pergamentpapier von der Reibefläche nehmen und die abgeriebene Schale mit einem Messer abstreifen (siehe Seite 29).

Den Kokosreis nach Belieben mit Limettenzesten und -spalten sowie einigen Zitronenmelisseblättchen garnieren.

10. **Wenn etwas übrig bleibt**

Aufbewahren

Der Kokosreis und die Papayasauce halten sich gut abgedeckt 2 bis 3 Tage im Kühlschrank. Die Papayasauce können Sie auch einfrieren – am besten in kleinen Portionen. Sie schmeckt auch gut zu Eiscreme.

Marinierte Pfirsiche

▪ China ▪

1. Einkauf

Krause Minze

Krause Minze ist etwas milder als die rote oder grüne mit glatten Blättern. Frische Minze kann man in einem Plastikbeutel mehrere Tage im Kühlschrank lagern.

Pfirsiche

Die Pfirsiche sollten reif, aber nicht zu weich sein, da sie sich sonst nur schwer häuten lassen. Die Hauptsaison für Pfirsiche reicht von Ende Mai bis Anfang September.

Reiswein

Den „gelben Wein", der aus fermentiertem Reis hergestellt wird, bekommen Sie im Asienladen. Er kann durch trockenen Sherry ersetzt werden.

Brauner Zucker

Der braune Zucker gibt der Marinade ein leicht malziges Aroma. Alternativ können Sie weißen Haushaltszucker verwenden.

2. Zutaten

2 Stiele krause Minze

8 g Ingwer

4 Pfirsiche

150 ml Reiswein

3 Msp. Kardamom

40 g brauner Zucker

ca. 4 EL Limettensaft

25 g Zucker

4 Eigelb (Größe M)

½ EL Tapiokamehl (ersatzweise Speisestärke)

1 EL Öl

3. Geräte

Messer

Schneidebrett

Schüssel

Wasserkessel oder -kocher

Litermaß

Kleiner Topf

Esslöffel

Kleine Schüssel

Schlagkessel oder Metallschüssel

Schneebesen

Breiter Topf (etwas größer als der Schlagkessel)

4. Zeit

Vorbereitung:

5 Minuten

Zubereitung:

25 Minuten

5. Nährwerte

pro Person

290 kcal, 1220 kJ, 6 g EW, 11 g F, 36 g KH

6. Vorbereitung

1. Minze waschen, trockentupfen und die Blätter abzupfen.

2. Ingwer schälen und in feine Scheiben schneiden oder hobeln.

1. Pfirsiche kreuzweise einritzen und mit kochendem Wasser übergießen.

2. Pfirsiche häuten, halbieren, entsteinen und in Spalten schneiden.

3. Reiswein,150 ml Wasser, 2 Msp. Kardamom, Ingwer und braunen Zucker mischen.

4. Alles aufkochen und bei großer Hitze in 7 Minuten auf die Hälfte einkochen lassen.

5. Marinade mit etwa 2 EL Limettensaft abschmecken und über die Pfirsiche gießen.

6. Die Hälfte der Minzeblättchen untermischen und alles abkühlen lassen.

7. Inzwischen 6 EL Wasser mit dem Zucker erhitzen: Der Zucker soll sich auflösen.

8. Den Zuckersirup unter das Eigelb rühren.

9. Tapiokamehl mit 3 EL kaltem Wasser glatt rühren und 1 EL Öl unterrühren.

10. Alles im Wasserbad unter ständigem Rühren zu einer dicken Creme aufschlagen.

11. Mit 1 Msp. Kardamom und 2 EL Limettensaft abschmecken.

12. Creme mit den marinierten Pfirsichspalten anrichten. Mit frischer Minze garnieren.

8. Rezeptvariation Exotischer Obstsalat

Zubereitung

1. Marinade wie im Rezept ab Schritt 3 beschrieben zubereiten.

2. 2 Baby-Ananas mit dem Blütenansatz der Länge nach halbieren und das Fruchtfleisch vorsichtig herauslösen. Den Schalenhälften jeweils eine kleine Standfläche schneiden. Das Ananasfruchtfleisch in Stücke schneiden.

3. 1 Karambole (Sternfrucht) waschen und in Scheiben schneiden.

1 Nektarine waschen, halbieren, entsteinen und in Spalten schneiden.

4. Obst mit der Reisweinmarinade mischen und in den Ananashälften anrichten. Mit frischer Minze bestreut servieren.

9. Küchentipp · Bei Tisch

Die chinesische Eiercreme, die leicht nach Stärke schmeckt, ist eine Mischung aus Dessertsauce und Pudding. Sie können zu den marinierten Pfirsichen oder dem Obstsalat auch eine asiatische Weinschaumcreme zubereiten: Dafür die 4 Eigelb mit 50 g Zucker, etwa 6 EL Reiswein, 1 Msp. Kardamom und 1 EL Limettensaft im Wasserbad aufschlagen.

10. Wenn etwas übrig bleibt

Aufbewahren

Die marinierten Pfirsiche halten sich gut abgedeckt 1 Tag im Kühlschrank.

Die Eiercreme schmeckt am besten warm. Sie können sie aber auch kalt servieren – das ist in China ebenfalls üblich.

Kardamomeis

▪ Indien ▪

1. Einkauf

Kürbiskerne

Achten Sie beim Kauf unbedingt auf das Mindesthaltbarkeitsdatum, da ältere Kürbiskerne schnell ranzig werden.

Litschis

Litschis sind die beliebtesten Dessertfrüchte in der asiatischen Küche. Ihr saftiges, perlmuttartiges Fruchtfleisch hat einen zarten Geschmack, der ein wenig an Rosen erinnert. Litschis können Sie frisch oder in der Dose kaufen.

Karambole

Wegen ihrer Form wird die Sternfrucht gern zur Dekoration verwendet. Im Geschmack erinnert sie an Stachelbeeren oder Quitten. Reife Früchte erkennt man daran, dass das Fruchtfleisch bernsteinfarben durch die Schale schimmert und die Kanten bräunlich gefärbt sind.

2. Zutaten

Für das Kardamomeis:

50 g Kürbiskerne

1 Minzestiel

400 ml Vollmilch

1 TL Agar-Agar-Pulver

3 gestr. TL Kardamom

70 g Zucker

2 Eigelb (Größe M)

2 EL Honig

ca. 3 EL Limettensaft

Für die Fruchtspieße:

8 Litschis

½ Karambole

1 Baby-Ananas

3. Geräte

Blitzhacker

Kleine Kastenform
(½ bis 1 l Inhalt)

Litermaß

Teelöffel

Topf

Schneebesen

Schaumkelle

Kleine Schüssel

Gabel

Esslöffel

4 lange Holzspieße

4. Zeit

Vorbereitung:

5 Minuten

Zubereitung:

15 Minuten
Gefrierzeit: 3 Stunden

5. Nährwerte

pro Person

300 kcal, 1270 kJ,
9 g EW, 14 g F, 35 g KH

6. Vorbereitung

1. Kürbiskerne im Blitzhacker fein mahlen.

2. Minze waschen und trockentupfen.

3. Die Kastenform mit Klarsichtfolie auslegen.

1. Milch mit Agar-Agar, Kardamom und Zucker in einem Topf verrühren.

2. Minzestiel zufügen. Milch aufkochen und unter Rühren 2 Minuten köcheln lassen.

3. Milchtopf vom Herd ziehen und die Minze entfernen.

4. Eigelb mit einer Gabel verquirlen.

5. Etwas heiße Kardamommilch nach und nach unter das Eigelb rühren.

6. Die Eiermilch in den Topf mit der restlichen heißen Kardamommilch rühren.

7. Die gemahlenen Kürbiskerne hinzufügen.

8. Die Milch in die mit Klarsichtfolie ausgelegte Form gießen und abdecken.

9. Eismasse für 3 Stunden in das Tiefkühlfach stellen.

10. Für die Sauce Honig und Limettensaft einmal aufkochen und abkühlen lassen.

11. Zum Servieren das Eis 5 Minuten antauen lassen und in Scheiben schneiden.

12. Eisscheiben diagonal halbieren und mit der Honigsauce anrichten.

1. Litschis schälen, rundum längs einschneiden und den Kern entfernen.

2. Karambole waschen, Baby-Ananas schälen. Beides in Scheiben schneiden.

3. Früchte abwechselnd auf lange Holzspieße stecken und mit dem Eis servieren.

9. **Küchentipp · Bei Tisch**

Besonders praktisch ist es, wenn Sie die Eismasse portionsweise in Plastikbecher füllen und abgedeckt tiefkühlen. Vor dem Servieren die Becher dann kurz unter warmes Wasser halten und das Eis einfach herausdrücken. Das Eis dann nach Belieben quer in Scheiben schneiden und als »Eistaler« servieren oder jeweils ein kleines »Tortenstück« herausschneiden und auf Tellern anrichten.

Verwenden Sie anstelle der Holzspieße Zitronengrasstangen zum Auffädeln der Früchte: Das sieht nicht nur dekorativ aus, sondern sorgt auch für zusätzliches Aroma. Besonders edel und festlich wirkt das Dessert, wenn Sie es mit exotischen Blättern und Orchideenblüten garnieren.

10. **Wenn etwas übrig bleibt**

Aufbewahren

Das Kardamomeis hält sich gut abgedeckt 5 Tage im Tiefkühlfach. Die Honigsauce können Sie ebenfalls 5 Tage im Kühlschrank aufbewahren und auch zu anderen Desserts, wie z. B. dem Kokosreis (siehe Rezept Seite 220), servieren. Die Fruchtspieße halten sich abgedeckt höchstens 1 Tag im Kühlschrank. Tipp: Die Spieße in der Honigsauce marinieren.

Register

Alphabetisches Gesamtregister

Bildnachweis

Titelfoto FoodPhotographie Eising; Seite 10/11 (Hintergrund) StockFood/Michael Brauner; Seite 12 StockFood/S. & P. Eising; Seite 13 (oben) StockFood/S. & P. Eising; Seite 13 (Mitte) StockFood/Klaus Arras; Seite 13 (unten) Berndes; Seite 14 (oben) Stock-Food/Karl Newedel; Seite 14 (unten) StockFood/S. & P. Eising; Seite 15 Walter Cimbal; Seite 16 (oben) StockFood/Rosenfeld Images LTD; Seite 16 (unten) StockFood/S. & P. Eising; Seite 17 (oben) StockFood/Rosenfeld Images LTD; Seite 17 (Mitte und unten links) StockFood/S. & P. Eising; Seite 17 (unten rechts) StockFood/Maximilian Stock LTD und StockFood/Rosenfeld Images LTD; Seite 18 (oben links) StockFood/S. & P. Eising; Seite 18 (oben rechts) StockFood/Michael Brauner; Seite 18 (Mitte und unten) StockFood/S. & P. Eising; Seite 19 StockFood/S. & P. Eising; Seite 20 (oben links und rechts) StockFood/S. & P. Eising; Seite 20 (unten links) StockFood/TH Foto-Werbung; Seite 20 (unten rechts) StockFood/Gerhard Bumann; Seite 21 (oben und Mitte) StockFood/Maximilian Stock LTD; Seite 21 (unten) StockFood/S. & P. Eising und StockFood/TH Foto-Werbung; Seite 22/23 (Hintergrund) StockFood/Phototh. Culinaire; Seite 24/25 (Hintergrund) StockFood/Hopkins; Seite 26 StockFood/Susie Eising; Seite 27 (Reihe oben und Mitte) StockFood/Susie Eising; Seite 27 (Reihe unten) Walter Cimbal; Seite 28 (Reihe oben) Walter Cimbal; Seite 28 (Reihe Mitte und unten) StockFood/Susie Eising; Seite 29 (Reihe oben und unten) Walter Cimbal; Seite 29 (Reihe Mitte) StockFood/Verlag Zabert Sandmann; Seite 30 (Reihe oben) StockFood/Susie Eising; Seite 30 (Reihe Mitte und unten) StockFood/Verlag Zabert Sandmann; Seite 31 Walter Cimbal

DIE KLEINEN SCHULEN

Ein Konzept setzt sich durch

»Am liebsten würde man schon nach dem ersten
Blättern gleich draufloskochen.«

Frankfurter Allgemeine Zeitung